D0766922

ÈVE DUPUIS,
16 ANS 1/2

Dépôt légal: 2ᵉ trimestre 1992
Bibliothèque nationale du Canada
Bibliothèque nationale du Québec

Données de catalogage avant publication (Canada)

Héroux, Josiane

Ève Dupuis, 16 ans 1/2

(Collection Conquêtes)
pour les jeunes.

ISBN 2-89051-473-0

I. Titre. II. Titre : Ève Dupuis, 16 ans 1/2.
III. Collection.

PS8565.E84J68 1992   jC843' .54   C92-096170-3
PS9565.E84J68 1992
PZ23.H47Jo 1992

Maquette de la couverture :
Le Groupe Flexidée

Illustration de la couverture :
Odile Ouellet

1234567890 IML 98765432
10666

Copyright © Ottawa, Canada, 1992
Éditions Pierre Tisseyre
ISBN-2-89051-473-0

JOSIANE HÉROUX

ÈVE DUPUIS, 16 ANS 1/2

roman

ÉDITIONS PIERRE TISSEYRE
8925, boulevard Saint-Laurent — Montréal, H2N 1M5

COLLECTION CONQUÊTES

directeur : Robert Soulières

Format poche

Grand format

Lundi 10 mai

Je me présente. Je m'appelle Ève. J'ai seize ans et demi. Ça fait seize ans et demi que mes pieds foulent le sol terrestre. Seize ans et demi que mon cœur bat, seize ans et demi que le sang coule dans mes veines. Bon, assez! Hier, c'était en quelque sorte mon anniversaire. J'ai tourné la page. Le livre de ma vie contient seulement seize pages et demie! C'est court. Des pages remplies de sourires, de joies, de peines, de larmes, de cris, de pleurs, de honte, de colère, de jalousie, de rêves. Quand on regarde en arrière, on s'aperçoit que ces pages sont incomplètes, que certaines lignes ont été effacées, d'autres biffées, qu'on a oublié volontairement certains passages. En revanche, d'autres reviennent constamment à la surface, on ne les oublie jamais. Ils sont indélébiles. Bon! assez philosophé. Pour mon anniversaire, je me suis payé ce magnifique cahier. Puisse-t-il être le miroir de mon âme, cher journal, comme mes yeux sont le miroir de mon cœur. Mes yeux sont gris, mon cœur est gris aussi, mais toi tu es blanc, d'un blanc immaculé, car tes pages n'ont pas encore été noircies par les circonstances de la vie ! (Ça rime en crime.) Si je pouvais seulement réussir à transcrire intégralement ce que j'ai dans le cœur et dans la tête. Dans l'âme aussi, mais l'âme je ne sais pas vraiment ce que c'est, c'est trop abstrait, L'ÂME. Dans le fond, je sais ce que c'est, mais je suis incapable de le définir. Pourquoi oublie-t-on tellement vite ? On se rappelle peut-être le quart de notre vécu en détail, en tout cas dans mon cas !

Je commence mes cours de conduite demain. Conduire, l'indépendance ! J'espère que conduire une auto c'est plus simple que de conduire sa destinée. Parce que la mienne, elle est au bord du fossé. En revenant de la bibliothèque, aujourd'hui, j'ai vu la plus belle créature de l'univers. Elle est de sexe masculin, évidemment. Il a les yeux bruns ou noirs, j'en suis pas certaine (la couleur des yeux je ne remarque pas ça habituellement), il a les cheveux bruns, courts. Il est SUBLIME (plus laid que ça tu meurs !). Il ressemble à

Rudolph Valentino ! j'ai mis le doigt dessus. Sauf que Rudolph, lui, il était homosexuel (j'ai lu ça quelque part). C'est un gars magnifique, vraiment, du genre «roman Harlequin». Beau comme un dieu. Mais c'est tellement relatif, probablement que Suzie le trouverait horrible. Ouais, probablement. Ah, j'ai oublié de vous présenter Suzie, c'est ma meilleure amie (l'amie la plus disponible, en fait). «C'est pas un gars pour toi, Ève !» Une phrase que j'ai entendue trente-six fois en quatre ans d'amitié. Elle s'est toujours mêlée de ma vie amoureuse... Je me suis toujours arrangée pour qu'elle s'en mêle, à vrai dire... On dirait qu'on a souvent besoin de quelqu'un pour nous remettre les pieds sur terre, mais elle, elle les enfonce dans le ciment. C'est peut-être nocif. J'en sais rien. Bon, je parlais du type que j'ai vu à la bibliothèque. En le voyant, on dirait qu'un éclair a traversé mon cœur (sans blague...). Si je croyais au coup de foudre, je dirais presque que c'en était un ! Je m'étais pourtant juré d'oublier les mecs pour un moment, le temps de remonter mes résultats scolaires. Je finis toujours par retomber en amour. Il suffit d'un regard, d'un geste, d'une parole et ça recom-

mence. Je suis une amoureuse profes-
sionnelle. Je m'arrange toujours (incons-
ciemment) pour reluquer les plus débiles
ou les plus tarés. Je ne sais pas pourquoi.
Ça tourne toujours mal, mes béguins et je
m'arrange pour, on dirait. De toute façon,
je suis trop passionnée. Je complique tout.
Je voudrais que ça soit comme dans les
films, pas ceux à l'eau de rose, les autres,
les vrais bons films d'amour. Il faut qu'il y
ait un peu de violence, c'est plus intéressant...

Le genre de film où la fille hurle, et le
mec fiche le camp. (C'est toujours comme
ça, les mecs fichent toujours le camp
quand les filles hurlent.) Je parle pas
nécessairement de violence physique, mais
surtout de violence verbale. Quand les
gens se détruisent avec quelques mots.
C'est facile de mettre quelqu'un par terre
en lui disant ses quatre vérités. Bon, je
parlais du mec de la bibliothèque. Je vais
le scruter, l'observer, l'analyser, le décor-
tiquer pendant six mois, sans oser lui
parler. Je vais écrire son nom sur les
tables, les chaises, les murs, les tableaux.
Si je pouvais savoir son nom... Je trouve
ça amusant, passionnant même, d'aimer

quelqu'un sans qu'il le sache, l'admirer, de rêver à lui, de le désirer. (Ben oui...) Il ne se doute de rien. On se sent presque invisible. On n'existe pas pour lui, on est personne. Quand son regard croise le nôtre, il est vide, mais c'est rassurant; car on peut se dire : «Il ne me connaît pas encore.» Le pire c'est de penser qu'il y a peut-être des types qui pensent comme moi en ce moment et qui m'aiment à la folie ! Ah ! puis non, c'est impossible, y'a que moi qui pense comme ça ! Probablement... Les gens ne peuvent pas nous empêcher d'aimer quelqu'un ou de le détester. On n'a aucun pouvoir, en fait. On s'imagine qu'on est puissant, mais on ne l'est pas du tout. On a l'air puissant. Mais on est vulnérable, au fond. Tout le monde a son talon d'Achille.

Je suis étudiante, je ne fais qu'étudier. Je n'existe pas en fait, je me prépare à devenir quelqu'un, je me pratique. Certains disent que l'adolescence est la plus belle période de la vie, d'autres disent que c'est la pire. Encore là, tout est relatif. C'est probablement l'enfance, la plus belle période. Probablement. C'est parce que je ne m'en souviens pas que je dis ça.

Bon, je vais à l'école depuis que j'ai eu six ans, je n'arrive pas à m'y habituer. Je n'ai pas de problèmes sérieux, je réussis assez bien, c'est juste que je ne m'y sens pas dans mon élément. Ça fait dix ans que j'essaie de m'intégrer aux autres, de me faire aimer, accepter. Il faut se faire des amis, c'est comme ça. Il n'y a rien à redire. Je suppose qu'on a besoin des autres. C'est dur à admettre pour une individualiste comme moi...

Comme «vraie amie», j'ai seulement Suzie. Elle, c'est quelqu'un. Je me trouve fichtrement chanceuse de l'avoir rencontrée. Elle a presque transformé ma vie, ma personnalité, tout, quoi! J'ai découvert des tas de choses avec elle. Les garçons, la cigarette, l'alcool. Les plaisirs interdits. Toutes choses qu'on fait en cachette. Elle a les yeux bleus, comme ceux d'un ange, mais c'est une diablesse! Ce n'est pas la beauté du siècle, mais elle est tout de même agréable à regarder. Elle a des yeux de biche. Vraiment les plus beaux yeux du monde. Des yeux comme les siens, ça peut vous faire faire n'importe quoi! Elle est pas mal manipulatrice, il faut l'admettre, elle est charmeuse, Mais c'est sans méchanceté. Je suis peut être le paillasson sur lequel elle essuie ses pieds, comme dit ma mère, mais elle s'occupe de moi, au moins. Je ne suis pas la femme invisible quand je suis avec elle. J'existe.

Elle a un petit copain depuis deux mois. Il s'appelle Carlos. Elle a tatoué son nom sur son bras avec une lame de rasoir. Incroyable! Ça a dû lui faire affreusement mal! Ça devait saigner, car maintenant c'est tout rouge, galeux. Elle fait des choses impossibles parfois. Quand il a vu ça, Carlos l'a traité de folle, ce qui est, somme toute, exagéré. Elle est un peu impulsive, c'est tout. Il a dix-sept ans, «son» Carlos. On se voit moins qu'avant depuis qu'elle est amoureuse de lui. Elle dit qu'il la rend folle. J'espère que ça finira bien car, d'habitude, entre Suzie et les gars, ça finit par des cris et des injures. C'est une impulsive, comme je vous disais. Tant qu'on la connaît pas c'est difficile de comprendre ses agissements.

La première fois que je l'ai rencontrée, c'était à la piscine. Une piscine municipale où tout le monde crie et s'arrose, avec plein d'enfants tapageurs qui courent dans les flaques. Il faisait beau, il y avait plein de soleil, c'était inondé de soleil, en fait. On était samedi, j'étais avec une autre amie, Julie, et c'est elle qui me l'a présentée. Suzie portait un costume de bain fluorescent. Je l'ai remarqué, car c'était la première fois que je voyais quelqu'un qui portait bien le jaune fluo; d'habitude ça donne l'air malade, sans blague ! Elle a les cheveux noirs comme l'ébène. Elle tient ça de son père, je crois. Son père est comptable. Le mien est architecte. Il dessine des plans de maisons ultra-modernes. J'aurais aimé mieux qu'il soit médecin, pas seulement pour le *standing,* mais plutôt pour lui succéder. La médecine ça m'intéresse, quoique j'adore aussi l'écriture.

Qu'est-ce que je vais faire plus tard ? Question-piège. Quand j'étais petite, je voulais devenir policière; pour enfermer les bandits, les *maniaques*, pour protéger les autres. Je crois bien que c'est ça qui m'attirait. Et aussi pour l'aspect violent de la chose. La violence ça m'intrigue beaucoup. Les gens qui fessent au lieu de parler pour s'exprimer, ça me fascine parce que je n'y comprends rien.

Jeudi soir, je dois aller danser avec Suzie. Son copain travaille, alors elle est libre. Le portier va probablement nous demander notre carte d'identité. On dira qu'on l'a oubliée dans la voiture, comme d'habitude ! Il fera pas trop le rat, il va probablement nous laisser rentrer. En tout cas, j'espère ! Ils ont tellement peur des flics, ces gars-là ! Ils ont plutôt peur de leur patron. Qu'est-ce que ça change dans ma vie, moi, de me faire prendre dans une descente ? Mes parents auraient pro-bablement une attaque, mais ça s'arrêterait là ... Orpheline... puis une personne de moins pour dessiner des maisons ultra-modernes. «Ultra-modernement dégueu-lasses !» Non, en fait, ça me peinerait de les perdre. Je crois bien.

Mardi 11 mai

Je vais parler de l'école. C'est une polyvalente, il y a plein de jeunes qui ont chacun leur casier. Il y a un fumoir, des toilettes, une cafétéria, un gymnase. C'est un peu déprimant. Au fumoir, il n'y a que des *rockers*; aux toilettes, des *drogués;* à la cafétéria, des *nerds*; au gymnase des sportifs dits «athlètes»... Il y a une bibliothèque, c'est là que je me retrouve lorsque je me sens perdue, à l'intérieur de moi-même, je veux dire. Il y a plein de livres écrits par des tas de gens qui ont passé des journées entières à griffonner, à noircir des pages blanches. Imaginez tout le temps que ça doit prendre pour écrire un seul roman-savon ! Je trouve ça fascinant. J'aimerais pouvoir écrire une histoire, un roman, avec plein de personnages qui n'existent pas, que j'aurais inventés de toutes pièces. Des pays et des visages qui n'ont jamais existé.

Voulez-vous savoir à quoi je ressemble ?

Je suis petite, je mesure 1,60 m. J'ai les yeux gris, ça vous le savez déjà et j'ai les cheveux châtains. Il sont courts. Je ne sais pas pourquoi je les fais couper si courts, c'est pour l'aspect pratique je suppose. Ceux de Suzie sont très longs. Elle fait toutes sortes de trucs avec : des chignons, des queues de cheval, des tresses. Elle doit passer des heures à se coiffer. Elle se lève très tôt le matin pour ça, surtout depuis qu'elle est avec Carlos. Elle veut être à son avantage. Je comprends ça. Elle veut entretenir sa flamme. Si seulement je pouvais retrouver ce type que j'ai vu hier en revenant de la bibliothèque. Il doit avoir des tas de filles à ses pieds. Il est tellement beau. Sublime. J'ai déjà fréquenté un mec, il s'appelait Daniel. Il était magnifique, lui aussi. Ça ne me dérangeait pas, je lui faisais confiance. Je le croyais tellement amoureux ! Je me trompais. Ça n'a pas vraiment fonctionné entre nous deux. Je ne suis pas une «fille à gars», comme dit Sue. Je l'appelle Sue, des fois, ça fait plus sérieux que Suzie. Suzie ça fait un peu «poupée», je trouve... Elle est la seule qui s'appelle Suzie à l'école. Des «Ève» il y en a huit (je les ai comptées, mais il n'y a qu'une seule Sue). Elle est vraiment unique.

À parler comme ça, comme si elle était le Bon Dieu, je vais finir par vous fatiguer. Mais elle est tellement différente, tellement originale. C'est la seule personne qui m'inspire vraiment confiance. À part Poussy, mon chat, lui, je sais qu'il ne me trahira jamais ! Je voudrais bien savoir pourquoi ça n'a pas fonctionné avec Daniel. Ça me prend tout à coup, j'ai le goût de savoir ! C'est fou ! Je devais être trop froide. Je suis du type «iceberg». Je suis glaciale. Ce n'est pas par choix. J'ai toujours été comme ça. C'est ma nature. J'ai passé des journées entières à sourire de force pour me faire des amis, pour me faire accepter, tellement que j'en avais mal aux joues ! Ça sonnait tellement faux, vraiment très faux. Des tas de types m'ont traitée d'air bête, surtout lorsque j'ai de la peine, je deviens incroyable, impassible, un visage figé. Plus rien à faire avec moi. Intouchable. Je suis trop distante. C'est décourageant pour les autres.

Mercredi 12 mai

Il a fait très soleil aujourd'hui. J'avais mis mes verres fumés. Ils sont semblables à ceux de Madonna. (C'est vrai, j'ai vu une photo d'elle où elle en a des pareils. Sauf qu'elle, elle doit en avoir des tas de verres fumés, alors que moi, je n'ai que ceux-là !) Madonna c'est une fille fantastique ! Suzie est presque aussi fantastique qu'elle. Mais Madonna, elle est vraiment imbattable. Pour partir de Bay City avec 30 dollars en poche et se rendre à New York, et ensuite devenir millionnaire, il faut avoir un certain «quelque chose». *A certain something,* comme disent les Anglais, *Something Special*. Ouais, le plus incroyable c'est qu'elle dure. Elle reste. Pas moyen de se débarrasser d'elle. C'est une perfectionniste. Une maniaque ! Ce que je trouve le plus formidable chez elle, c'est son sens du *marketing*. Si vous avez suivi sa carrière d'assez près, vous comprendrez ce que je veux dire. Elle ne se laisse pas marcher sur les pieds. Ça prend ça pour se rendre au sommet. Elle est *énergisante* cette femme-là. Lorsque je la vois danser, j'ai des fourmis dans les jambes, c'est incroyable.

J'étais en train de dire qu'il faisait très beau aujourd'hui. Surtout cet après-midi. Le matin, je me sens toujours déprimée, obligée de quitter mon lit pour me rendre au lieu de perdition qu'est cette polyvalente. J'ai souvent séché des cours le matin, j'allais au café du coin, je buvais une limonade, je lisais le journal. J'étais bien. Mais mes parents se sont vite aperçus de mon petit manège. J'ai été obligée de retourner à l'école, comme une grande fille. Ils m'ont offert mon cours de conduite, je me demande bien pour aller où ! Je ne sors jamais; les «bars» ça me déprime autant que les partys. Un, deux, trois partys ! Ouais, parlons-en. Tout le monde est rond, les types s'insultent, se tapent dessus, certains défoncent des murs, d'autres se jettent sur des filles... consentantes, heureusement. C'est déprimant. Toutes les fois que j'étais invitée, c'était parce que j'étais l'amie de Suzie, mais maintenant, elle y va avec son Carlos, alors on m'a mise au rancart. Je m'en fous, remarquez, il n'y a rien de plus barbant que ces partys à-la-con ! On écoute du U2, et encore du U2. Passionnant ! Ensuite on met du *Guns and Roses*, encore mieux. Une chance qu'il y a quelques fans de Madonna. Ça me remonte le moral pendant quelques minutes... Il y a peu de drinks que je supporte, à part le rhum et le *John Collins*. Des *rhums and coke* et des *John Collins*, j'en boirais des litres. Parfois, je me retrouve presque soûle. C'est arrivé une fois, je l'étais vraiment, et Suzie l'était aussi, et on pleurait comme des madeleines ! On était fatiguées. C'était très triste. C'est une des rares fois où l'on a éprouvé de la tristesse en même temps. Moi, je suis souvent triste, alors qu'elle est fichtrement joyeuse la plupart du temps. C'est ça qui fait qu'elle est si populaire. Elle est souriante, avenante, positive. Moi, je suis froide, bête, négative, presque neurasthénique ! Jeanne-qui-grogne et Jeanne-qui-rit, ouais, c'est à peu près ça. J'essaie de sourire, et puis ça bloque. Je ne comprends pas pourquoi je suis comme ça.

Jeudi 13 mai

J'ai toujours l'impression qu'on me regarde lorsque je porte des verres fumés. On dirait que les gens me voient, ils ne savent pas qui je suis (ils ne me reconnaissent pas, en fait), ils regardent comme il faut pour savoir qui c'est, et ils se rendent compte que c'est seulement moi. Ils doivent être déçus : «Ah, c'est juste Ève Dupuis.» C'est ce qu'ils doivent se dire.

J'ai revu le type de la bibliothèque, ce midi. Il était avec Odile Gendron. Je me demande ce qu'il faisait avec cette idiote ! Je pourrais toujours m'informer auprès d'elle pour en savoir plus sur lui : son nom, son âge, son poids ! Non, quand même.... Voulez-vous me dire pourquoi c'est toujours les filles les plus bruyantes, les moins discrètes, si l'on peut dire, qui attirent les mecs ? Je n'ai jamais compris ça. Il faut presque avoir un *scotch tape* dans la figure pour que les mecs osent s'approcher. Si on ne parle pas, ou si on ne

24

sourit pas béatement à chaque fois qu'ils font une tentative pour nous séduire, ils s'éloignent de nous, nous oublient, nous éliminent de leur champ de vision. C'est bête! En tout cas, je souhaite qu'il ne soit pas amoureux de cette andouille d'Odile Gendron. Il pourrait aimer n'importe qui sauf elle... n'importe qui, mais pas elle!

Mes taches de rousseur sont ressorties à cause du soleil. J'en ai plein sur le menton, le nez, les joues, le front, partout. Je trouve ça très beau, ça donne du charme... ouais. Ça donne un style très effronté! Suzie, elle a beaucoup de charme, même si elle n'a pas de taches de rousseur. Elle a une peau parfaite, uniforme, sans aucun bouton. Incroyable! Mais l'été elle rougit facilement. Sa mère est toujours en train de l'avertir de se mettre de la crème solaire, mais elle ne veut rien entendre. Il n'y a rien à faire avec elle! Un été, je me souviens, elle avait des cloques sur les épaules, elle hurlait après sa mère parce qu'elle l'avait laissée sortir sans crème solaire. Elle exagère parfois, Suzie! Cette fois-là c'était pas du tout la faute de sa mère, c'était la sienne, mais elle n'a jamais voulu l'admettre. C'est difficile d'admettre ses erreurs. Suzie n'admet jamais les siennes. C'est son plus grand défaut.

Vendredi 14 mai

Suzie et moi, on est allées danser, finalement. Le portier nous a laissé passer, j'en revenais pas. Il y avait beaucoup de fumée, il faisait très noir aussi. Ça sentait la cigarette à plein nez. Je m'en fichais, j'adore l'odeur de la cigarette, ça sent le «défendu». Il y avait une mini-piste de danse, mais personne ne dansait. Il devait être trop tôt, je suppose. Le nom du club c'était *Les libellules*. Drôle de nom. Il y avait plein de types cachés derrière leur bouteille de bière. Les gars boivent toujours de la bière et les filles du schnaps-jus d'orange. Elles sont toujours maquillées (les filles). Elles veulent probablement avoir l'air vieux, puis plaire à ces types cachés derrière leur bouteille de bière. Il finissent toujours par se montrer la figure, surtout quand ils sont fatigués de lire et relire les mêmes foutues étiquettes. Y'a des filles qui sont vraiment *sexy* avec leurs jupes moulantes et leurs bustiers, surtout celles qui ont les cheveux longs. Moi, je ne suis pas vraiment *sexy*. Je suis toujours en jeans, *t-shirt* et mes cheveux sont courts, presque plus courts que ceux des mecs, alors... je sais vraiment pas qui pourrait s'intéresser à moi. Y'a déjà des types qui m'ont un peu couru après, comme de raison, mais jamais autant que Suzie. Elle, y'a des dizaines de mecs qui l'ont eue dans l'œil. Elle n'est pas si belle que ça pourtant. C'est juste qu'elle a du charme, comme je vous disais. Elle a plus d'expérience que moi. Dans le sexe comme dans d'autres domaines. Le sexe ...Ça vous intéresse que je vous en parle, hein ? C'est normal, aujourd'hui y'a plus que ça de passionnant, enfin pour la plupart des gens. Moi, j'y pense beaucoup, j'ai pas le choix, j'suis comme tout le monde, j'en vois beaucoup à la télé, dans les magazines, les films, les livres, etc. Partout, quoi. Je sais pas quoi en penser. Tout ce que je peux vous dire, c'est que je ne suis pas faite en bois. Pourtant, je suis encore ce qu'on appelle une pucelle. Je suis trop pudique pour parler de ça. Je trouve ça trop intime. Peut-être plus tard, mais pas tout de suite.

Quand je suis entrée, j'ai demandé au garçon de m'apporter un *rhum and coke*.

Suzie a demandé un zombie. On s'est assis. Il n'y avait pas beaucoup de place, même s'il était tôt. La musique était plutôt nulle. On a bu. Je souriais un peu; surtout quand je me sentais observée. Ça me gênait. C'est toujours les types en manque qui m'observent, j'ai l'impression. Ça devenait barbant à la longue. J'avais le goût d'aller danser, même s'il n'y avait personne sur la piste. Puis, tout à coup, je les ai vus. Elle et lui. Le type de la biblio avec Odile! Je n'en croyais pas mes yeux. J'aurais voulu crever là. Perdre connaissance, hurler, réagir au moins. Ben non. Rien. Je me sentais vidée.

Comme si j'avais eu un trou à la place du cœur. Pourtant, ce mec-là, je ne le connaissais pas du tout. Mais on aurait dit que je le voulais. Pour moi toute seule. Pas nécessairement être sa petite amie, mais pouvoir continuer à l'observer, sans que rien ne change, que ça reste comme c'était. Figé dans le temps. Mais là, à cause d'elle dans le décor, ça changeait tout. J'aurais bu 36 *rhum and coke*. J'en ai bu trois. Odile et le type (je ne sais toujours pas son nom) n'arrêtaient pas de se sourire, de se regarder. Ils se dévoraient des yeux ! J'aurais hurlé. On est allées danser (Suzie et moi) car ça me rendait malade de rester là, assise, à les regarder pendant qu'ils se minouchaient. La musique était assommante, j'avais de la difficulté à suivre le rythme. À la longue on a eu plein le dos alors on est retournées s'asseoir. Il y avait aussi un mec qui n'arrêtait pas de fixer Sue, il lui faisait de l'œil, c'était évident. Alors, il s'est approché, il est même venu s'asseoir avec nous. Sue était un peu soûle, elle en était à son troisième zombie. Elle a empoigné le type (qui était assez moche) et l'a traîné jusqu'à la piste de danse. Je suis restée seule à la table pendant une demi-heure, à faire tourner mon doigt sur le rebord de mon verre de *rhum and coke*.

Sue et son abruti sont enfin revenus à la table. Le type était éreinté, à un certain moment il a essayé de s'approcher d'elle un peu trop, alors elle a piqué une de ces crises ! Elle a relevé sa jupe en disant «C'est ça que tu veux voir, hein, ben regarde ! j'te montre.» Elle était bleue ! J'essayais de rabaisser la jupe, mais elle ne voulait pas lâcher prise. Finalement elle a éclaté en sanglots. Bon Dieu ! Je ne savais plus où nous mettre. (Vraiment l'alcool lui fait un drôle d'effet à cette fille !) Elle n'arrêtait pas de pleurer. Y'avait rien à faire, j'voulais pas qu'elle pleure. J'aurais fait n'importe quoi pour qu'elle arrête de pleurer. Finalement, je suis allée la porter dans son lit. Elle s'est endormie tout de suite, alors je suis rentrée chez moi.

Mardi 18 mai

Il fait très chaud aujourd'hui. On crève. Je suis sur le patio. J'vais pas à mes cours. J'essaie de me faire bronzer. Le soleil est éblouissant. Il y a plein d'oiseaux tout autour de la maison, à cause des érables et des pins qui *jonchent* le terrain. Ça me détend de les écouter chanter. Il y a des bruits de tondeuse aussi, ça c'est moins agréable.

Suzie m'a invitée à souper chez elle. Elle voulait se faire pardonner pour l'autre soir, pour m'avoir fait honte. Je lui ai répliqué qu'elle n'avait rien à se reprocher, que ce n'est pas de sa faute si elle ne supporte pas bien l'alcool. Je lui ai juste conseillé de se contrôler un peu plus la prochaine fois. J'ai joué à «Madame Marmelade», comme je fais souvent dans ces cas-là. (Jouer à «Madame Marmelade» c'est faire un peu l'hypocrite pour éviter les conflits, ne pas dire vraiment ce qu'on pense.) J'avais ni la tête, ni le cœur à entamer une dispute (ou plutôt une *discussion*). Des fois je suis un peu fuyante avec les gens. J'ai pas le goût de les affronter, alors je fais semblant. Mais il ne faut pas ambitionner là-dessus, parce que c'est frustrant à la longue. Il faut dire ce qu'on pense au moins les deux tiers du temps, les trois quarts du temps, même. Je pense encore au type de la biblio. J'aimerais ça dormir avec lui ce soir. Pas coucher, dormir. L'avoir à mes côtés dans mon lit, pouvoir l'observer, le toucher, le regarder pendant qu'il dort. Il est tellement beau ! Surtout que ce soir, il va faire très chaud et puis c'est tellement humide que j'arriverai même pas à m'endormir.

Jeudi 20 mai

Je n'ai presque pas dormi cette nuit. Le climatiseur est tombé en panne. Quelle veine ! Je regardais mon cadran, une heure, deux heures, trois heures... Je me suis endormie vers trois heures trente du matin. J'ai somnolé durant tous mes cours. Ah ! je suis ennuyeuse, je ne sais pas quoi écrire. Je ne vous ai même pas dit si j'avais des frères, des sœurs. Hé bien non, je suis fille unique. Suzie, elle a une sœur de douze ans, Maude. Elle ne lui ressemble pas beaucoup. Elle a les cheveux bruns et des taches de rousseur, elle aussi, comme moi...

Suzie et moi, on est allées au parc après l'école et on a rencontré cette idiote d'Odile. Elle portait une camisole blanche, sans soutien-gorge dessous ! On voyait ses seins ! On les voyait vraiment. J'la trouve nulle, cette fille. C'est pas croyable. Espèce d'exhibitionniste ! Suzie s'est mise à lui faire la conversation, seulement pour savoir ce qu'il en était de ses relations avec le fameux type de la bibliothèque. (Il s'appelle Jimmy.)

Suzie a demandé :

— Est-ce que tu sors avec lui ?

— Non, c'est seulement un gars de veillée, a-t-elle répondu.

— C'est quoi pour toi un gars de veillée ? demanda Suzie.

— Rien, un type qu'on embrasse sans le connaître vraiment, quoi ! a-t-elle expliqué.

— Ça te dégoûte pas rien qu'un peu d'embrasser un type que tu ne connais même pas ? a répliqué Suzie. (Suzie est très à cheval sur les principes.)

— Ah non, pourquoi ? Il est très chouette Jimmy, mais ça s'arrête là, a-t-elle répondu.

Alors, Suzie s'est mise à la traiter de putain, de fille facile, d'agace-pissette, et tout ce que vous voulez ! On aurait dit qu'elle voulait me venger. C'est idiot, car je n'ai rien a voir dans cette histoire. (Jimmy ne sait même pas que j'existe !) Finalement, j'attrape Suzie par le bras, avant que les choses ne s'enveniment trop. Cette espèce de dinde (Odile) est restée là sans rien dire (elle a lâché un «Est-folle ou quoi?» mais elle aurait mieux fait de se la fermer).

J'ai demandé à Sue pourquoi elle avait fait ça, et elle a répondu qu'elle en avait plein le dos que cette nouille d'Odile Gendron reluque tous les garçons de l'école. C'était pas une raison pour se mêler de sa vie amoureuse!

Je vous ai déjà dit que Suzie s'était tatoué «Carlos» sur le bras avec une lame de rasoir? (Eh bien, elle vient d'enlever son pansement et je crois bien que la cicatrice va rester.) Pauvre Suzie! Elle a le nom de cet imbécile écrit sur le bras pour le reste de ses jours. Ça lui servira de leçon... À moins qu'elle reste avec lui pour toujours, qu'ils fassent même des enfants ensemble et tout, mais ça me surprendrait pas mal. C'est ni son premier copain, ni son dernier...

Hier, la sœur de Suzie, Maude, s'est fait prendre à voler de la marchandise dans un grand magasin. Ses parents ont presque eu une attaque. Je vous parie n'importe quoi qu'elle n'aura plus le droit de sortir jusqu'à ses dix-huit ans ! S'ils savaient que leur Suzie va danser (et boire) dans les clubs en ville ! En parlant d'alcool, je suis en train de lire un livre où il y a un chapitre sur les cocktails. *Ainsi, vous voulez jouer au barman* (drôle de titre). Moi, je pourrais organiser une grosse réception avec 50 invités ou plus, (je sais vraiment pas qui j'inviterais... en tout cas pas Odile), j'engagerais deux barmans, trois même, je leur dirais de préparer tout ce que les gens leur demandent, que ce soit des *Zombie*, des *Singapore Sling*, des *Mai Tai*, des *Russian*, des *Cherry Daisy*, des *Manhattan*, des *Gin Fizz*, des *Screwdrivers*, etc. Tout le monde serait soûl à la fin de la veillée ! Ce serait très drôle. Mais je me demande qui paierait tout ça ! Sûrement pas mes parents... Tiens je vais vous dire ce que contient un *Tom and Jerry* :

1 1/2 oz de rhum

1 c. à thé de sirop simple

1 œuf (!)

1 pincée d'épices mélangées.

Beurk ! un œuf... je n'en boirai plus jamais, je déteste les œufs ! Du *Pink Lady* ça a l'air meilleur.

Ça contient :
1 1/4 oz de gin
1/2 oz de grenadine
1 1/4 oz de jus de citron préparé.

Je ne sais pas ce qu'ils veulent dire par du jus de citron «préparé», en tout cas, la prochaine fois que je vais aller au *Libellule* je vais commander un *Pink Lady* ! Ça a l'air délicieux, ou un *Daiquiri* :
1 oz de rhum
1 oz de jus de citron préparé (encore !).

Bon je vais finir par vous fatiguer avec mes recettes de cocktails. Je devrais devenir barman plus tard. Je ne sais pas si ça se dit «barwoman». Peut-être, ouais, je serais barwoman.

Vendredi 21 mai

Je suis encore en train de lire les recettes de drinks. Ça m'enivre presque, juste à les lire! Ça doit rendre alcoolique à la longue. Il paraîtrait que tous les barmen sont alcooliques. C'est Suzie qui m'a dit ça... Je bois des litres de thé glacé ces temps-ci, il fait très chaud. On n'a pas d'école aujourd'hui! C'est congé pédagogique! C'est *cool*. «Ça flotte, ça flotte», comme dit Carlos. Il dit toujours ça. Idiot! J'ai presque l'impression que je suis jalouse à force de le traiter de tous les noms. J'ai rien contre les histoires d'amour, au contraire, mais pas quand ça se prolonge trop longtemps! Ça fait presque trois mois qu'ils sortent ensemble. C'est pas normal. Elle doit être vraiment amoureuse et lui aussi. Chanceux, va! Ouais. J'aimerais ça aimer un type, qui m'aimerait aussi. Ça serait le «mec-plus-ultra»! Comme Jimmy. S'il m'aimait, s'il était amoureux de moi, s'il embrassait son oreiller en pensant à moi, s'il écrivait mon nom dans ses cahiers, même sur ses feuilles d'examen, ça serait merveilleux, fantastique, extraordinaire même. Pour ça, il faudrait commencer par le rencontrer, je veux dire officiellement! Qu'il me soit présenté par quelqu'un (pas Odile), comme Julie Corbeil, elle le connaît bien, elle, je crois. Je les ai vus parler ensemble au *Libellule*, pendant qu'Odile était aux toilettes (probablement pour se farder). Le problème, c'est que je ne connais ni Odile, ni Julie, enfin pas beaucoup. Je me flanque encore un de ces cafards à cause de lui. Je ne le connais même pas. C'est peut-être le dernier des abrutis, il est peut-être complètement timbré. J'arrête pas de penser à lui, de rêver à lui, c'est comme une obsession.

Je devrais vous parler de choses intéressantes comme mes parents, l'école, mon enfance, des trucs comme ça, mais je suis incapable d'arrêter de penser à lui. Je ne parle que de lui. Je suis une obsédée. Le pire, c'est que ce type-là a probablement une fille dans l'œil, qu'il trouve à son goût, c'est même possiblement Odile Gendron! Elle a plus de poitrine que moi. Elle a plus de poitrine que la plupart des filles de seize ans, en fait. Tout le monde dit qu'elle est facile. Moi, je suis négociable, d'accord, mais quand même pas facile ! Je ne suis pas une vierge offensée comme Sue, mais pas une fille facile comme Odile. Je me situe entre les deux, voyez-vous. Je suis peut-être un peu plus vierge offensée que je ne le crois, à vrai dire. Le problème, c'est que je n'arrive pas à comprendre les filles et les gars qui s'embrassent sans même se connaître, comme Odile et Jimmy. Ça s'appelle passer une veillée (vous savez peut-être ce que c'est). On commence à parler avec un type qui nous plaît (physiquement), enfin on essaie de parler (avec tout le bruit qu'il y a dans les clubs !), puis on finit par s'embrasser. On boit, on parle (on échange des stupidités du style «en quelle année t'es ?» ou bien «viens-tu souvent ici ?»), on se regarde, puis on s'embrasse. Puis on se touche parfois. Ça dépend de l'endroit. Et du type avec qui on est. Et du genre de réputation qu'on veut se faire. Des adeptes du «je te plais, tu me plais, on s'allonge» y en a partout, vous savez. Moi j'ai pas l'énergie, ni l'envie de m'engager dans leur armée. Ça sonne faux, ça aussi c'est vide.

Je viens de gober trois muffins aux pépites de chocolat et j'aurais encore faim pour un sandwich au thon ! Je suis vraiment gourmande. Je bouffe tout le temps. La plupart du temps. Même si j'ai pas faim, je mange quand même, ça m'occupe. Surtout le vendredi soir, quand je suis seule dans ma chambre et que je pense à Jimmy et Odile qui doivent être ensemble au *Libellule* en train de s'amuser et de danser, alors que moi, je rêve à des choses impossibles, idiotes, au lieu de vivre le présent.

Samedi 22 mai

J'ai des tas de devoirs à faire. En français on doit faire un exposé oral. Ça me rend malade! Je ne sais pas si je vous l'ai dit, mais je suis une fille extrêmement timide, facile à intimider même. Quand je dois aller parler devant un groupe, je deviens rouge comme une pivoine, je bafouille, je cherche mes mots, le bordel quoi! J'ai très peur quand je suis devant les gens et pourtant, je sais bien qu'ils vont y aller aussi et qu'il ont la frousse autant que moi, mais j'arrive pas à m'en convaincre. Bon sang! ça me ronge rien que d'y penser. Y'a des gens qui savent vraiment se vendre. Ils ont le tour, ils sont convaincants. Moi, j'y arrive pas. Je suis trop nerveuse. J'ai trop hâte de retourner m'asseoir à ma place et ça paraît.

J'ai fait un drôle de rêve cette nuit. J'ai rêvé que mes cheveux étaient longs, tout à coup, longs jusqu'aux épaules. C'était incroyable, surtout que je les porte seulement à la nuque. Comment ils avaient poussé jusque là, je ne comprendrai jamais. Bof ! c'était seulement un rêve, après tout. Je ne pourrais pas porter mes cheveux longs, ils sont trop épais. J'en ai des masses de cheveux, c'est pas croyable. Ça prendrait dix élastiques pour me faire des tresses comme celles de Sue. J'ai entendu une chanson à la radio, ça m'a fait penser à Suzie et Carlos.

«J'ai tatoué mon nom à ton dos
Je ferai de toi l'amoureux le plus chaud
Maintenant que je t'ai dans la peau
Je serai la seule qu'il te faut.»

Et l'autre couplet m'a fait penser à Jimmy :

«Partout, je te suivrai
J'm'en fous, je t'aurai
Comme une louve affamée
Je te ferai prisonnier.»

Ils annoncent de la pluie pour demain. Tant mieux, j'en ai plein le dos de me faire bronzer. Le soleil, ça me déprime, à la longue. Et ça tape fort sur le système. On dirait que j'ai une jambe plus bronzée que l'autre, c'est drôle ! J'ai de très beaux genoux. C'est la seule partie de mon corps que j'aime, avec mon nez. J'ai le nez mince, très droit. Il est un peu retroussé, mais mes genoux sont vraiment magnifiques. Ouais. Mais ils ont des petits boutons rouges parce qu'ils sont irrités. Le médecin a dit à une fille que je connais (qui a le même problème) que c'est parce qu'ils sont usés ! Je les ai sûrement pas usés à prier, en tout cas. Je suis pas très pratiquante. Y'a que ma mère que je connais qui pratique. Et ma tante Juliette. Elle va à la messe tous les dimanches. Elle doit dire son chapelet chaque soir, je suppose. Moi je me rappelle même plus le «Notre père». Ça va me revenir plus tard, je vais pratiquer quand je serai plus vieille. Pour l'instant, je prends ça assez *cool*, mais plus tard, je vais peut-être avoir besoin de Dieu, qui sait ? De toute façon, avec tous les trucs que j'ai faits depuis quatre ans, je sais pas si Dieu voudra encore de moi au Paradis. Je suis mieux de pas trop y compter. J'me demande si fumer, c'est péché. Embrasser un type qu'on connaît pas, sûrement ! Traiter des filles comme Odile Gendron d'idiotes, ça en est un, je suppose. On n'a pas le droit de juger les autres, même si c'est extra-agréable. Les autres nous jugent aussi, mais tant qu'on ne s'en doute pas, ce n'est pas douloureux. Puis le sexe, avant le mariage, ou juste le pelotage, je me demande bien... Probablement que oui, sûrement.

Mes parents m'ont invité à manger dans un resto de gastronomie vietnamienne : c'était affreusement bon, sauf qu'il y avait pas grand-chose dans les plats. Ça doit avoir coûté dans les cinquante dollars juste pour nous trois. Y'avait environ six services, fallait donner le pourboire en conséquence. C'était une Vietnamienne qui nous servait.

Lundi 24 mai

J'ai encore conduit hier soir. J'ai mon permis temporaire. Ma mère dit que j'ai tendance à regarder autour au lieu de surveiller en avant. Ça se peut. Y'a un abruti qui m'a klaxonnée parce que j'allais pas assez vite. Espèce de con! C'est très difficile, conduire. Mais un coup que t'es habituée, y'a rien là... J'aimerais ça m'en aller. Partir en voiture pour une semaine, toute seule. Je rencontrerais plein de gens, je me ferais des amis, ça serait fantastique. J'apprendrais à me débrouiller avec mes économies. Depuis que je suis en première année, mes parents déposent une certaine somme dans mon compte personnel. Mais maintenant, ils ne le font plus, parce que j'ai seize ans; ils disent que je peux me débrouiller seule, que je n'ai qu'à me trouver un petit emploi, chez McDonald par exemple. J'aimerais mieux crever! Mais avant de partir il me faut mon permis de conduire, ça vaudrait mieux. Je n'aurais qu'à retirer mon fric, et, bye, bye la compagnie ! Ça serait super ! J'me demande bien où j'irais. Bof, un coup parti, on trouve toujours une direction. Le tout c'est de se lancer !

J'ai vu Odile à l'école, aujourd'hui. Elle m'a dit «salut», la salope... Je ne l'ai pas vue avec Jimmy aujourd'hui. Miracle ! Il portait un chandail gris chiné, ça lui va très bien le gris. Il est toujours aussi beau. Ses cheveux, une couleur super ! Foncée, presque aussi foncée que celle de Suzie. Il est pâmant ! Même Suzie le trouve pas pire. Ça dit tout ! En parlant de Suzie, elle s'est acheté un costume de bain vert fluo, il me rappelle celui qu'elle portait lorsqu'on s'est rencontrées.

Je commence à avoir vraiment envie de partir. Plus j'y pense, et plus ça me tente. Ah ! puis je ne sais pas. S'il m'arrivait quelque chose, si j'avais un accident, ça pourrait toujours arriver. Ils finiraient sûrement par me retrouver. Probablement que je pourrais demander à Suzie de venir avec moi. Ça serait rassurant à deux. Mais je doute qu'elle accepte de quitter son Carlos, même pour suivre sa meilleure amie. Je pourrais demander à Jimmy !

48

Faut être timbrée. Je ne le connais même pas. Mais s'il est aussi sonné que moi, il acceptera ! J'oserais jamais lui demander ça ! Bof, on verra.

Mardi 25 mai

Suzie ne veut pas m'accompagner. Elle dit que c'est de la folie. J'ose pas demander à Jimmy. J'ose vraiment pas. À moins que je demande à cette andouille d'Odile! Non, franchement, plutôt crever. Si j'étais sage, j'attendrais que l'école soit finie. Il reste encore un mois. J'aurais mon permis, ça faciliterait les choses. Ça serait plus sécurisant en tout cas. Je pourrais m'arranger pour devenir amie avec Jimmy, le connaître un peu, ensuite je lui demanderais de m'accompagner. Ça c'est une délicieuse idée! Il est peut-être futé après tout, qui sait?

Je suis allée dîner avec Suzie au Burger King. J'ai mangé un hamburger au bacon, une frite, un sundae, puis un chausson aux pommes. Beurk! Je vais devenir énorme si je continue à bouffer comme ça. Je m'ennuie vraiment pendant les cours. Je pense à tous les trucs sensationnels que je ferais si je partais avec Jimmy. Ça serait romantique, au fond, juste nous deux dans une ville qu'on connaît pas. On pourrait faire des pique-niques sur l'autoroute. Wow! ce serait super.

Dans le journal, ils parlaient d'un type qui s'est suicidé en écoutant *Suicide Solution* d'Ozzy Ozbourne. C'est drôle. Le type devait être vraiment influençable, je suppose, pour s'être laisser déboussoler par une chanson. Mais il y avait des messages subliminaux. Ça c'est différent. Ses parents poursuivent Ozzy lui-même pour ça... En parlant de suicide, ils ont découvert une fille à l'école morte dans la salle de toilettes, elle s'est suicidée... Elle avait avalé une bouteille d'alcool à friction et des tas de comprimés qui appartenaient à sa mère, je crois. Ah! le suicide s'est vraiment une drôle de chose. Ça ne devrait pas exister. C'est trop facile. C'est comme arrêter de jouer le jeu lorsqu'on est en train de perdre. C'est injuste, dans le fond. Moi, j'ai toujours été le genre à laisser tomber. Je me rappelle quand j'étais petite, je ne finissais jamais de colorier mes dessins dans mon livre à colorier. C'est vrai, je commençais, mais je ne les finissais jamais. Je me lassais et je tournais la page.

Mon livre à colorier était plein de dessins à moitié coloriés. C'est bizarre. C'est comme mon assiette quand je mange, je ne la termine jamais. Ma mère gueule depuis que je suis haute comme trois pommes pour que je termine mon assiette au complet, rien à faire, je ne la finis jamais ! Même quand c'est des mets que j'aime. Le pire, c'est que je bouffe tout le temps, mais je termine jamais rien.

Moi et Suzie, on a découvert un autre bar où ils servent des *drinks* sans demander de cartes d'identité. Ça s'appelle *L'Oasis*, y'a même un orchestre de jazz comme dans les vieux films des années quarante. Y'a plein de vieux types, moches, et tout, mais c'est pas mal. Je sais pas, l'ambiance est spéciale. Il fait très noir, et sur chaque table il y a un genre de petit lampion crétin qui absorbe la fumée des cigarettes. Y'a que ça qui éclaire la place, vous voyez. Le problème, dans ce genre d'endroit, c'est que vous savez jamais à qui vous avez affaire, c'est trop obscur. Al Capone aurait adoré, j'suis certaine. Le barman à l'air d'avoir dans les soixante-dix. Il ne se souvient probablement plus comment faire un *gin tonic*. C'est ténébreux comme endroit. Voilà le qualificatif que je cherchais. J'suis encore braquée sur Jimmy, et sur mon idée de fuguer avec lui. Ça me hante totalement.

Mercredi 26 mai

It's incredible but true! j'ai trouvé quelqu'un pour m'accompagner.

Ce matin, ou plutôt cet après-midi, j'ai décidé de sécher mon cours d'anglais. Je me suis assise par terre dans l'herbe, près du parking des autobus. Tout à coup, un type est passé en voiture. Au début, j'ai cru reconnaître le débile de Marc St-Pierre, mais je me trompais, c'était Carlos (ils ont les cheveux semblables, alors je les ai confondus). En passant, Marc St-Pierre, c'est un idiot qui voulait sortir avec moi au début de l'année, mais j'ai refusé. Quand je l'ai vu débarquer de sa voiture, j'ai crié : «Carlos». Alors il s'est retourné et m'a aperçue. Ensuite, il est venu à ma rencontre. J'ai dit : «Salut! Qu'est-ce que tu fais là ?» Il a rétorqué : «Je pourrais te poser la même question.»

— T'as deux minutes à me consacrer?

— Ouais, si ça se trouve a-t-il répondu en s'asseyant.

Je lui ai parlé de Suzie, de mon projet de partir et je lui ai demandé s'il connaissait pas quelqu'un qui avait le goût de dégager, comme moi.

— Moi-même, ça me plairait bien, a-t-il dit.

Je n'en revenais pas ! Je suis restée bouche-bée.

— Sérieusement ?

— Ben oui, pourquoi pas ? Quand est-ce que tu pars ?

— J'sais pas trop, c'est pas encore décidé, tu sais.

— As-tu du fric ?

— Oui, en masse.

Ce type-là travaille 30 heures par semaine, c'est pour cette raison qu'il est cruche à l'école !

— Parfait, moi j'ai l'auto.

— C'est pas trop prudent, l'auto de tes parents...

— Ils s'en foutent, et puis on peut toujours bien pas partir en train, quand même.

— Pourquoi pas ?

— Y'a rien pour t'arrêter toi.

— C'est débile ! Partir avec le petit copain de sa meilleure amie. C'est salaud, tu trouves pas ?

— Écoute, Suzie, si elle veut venir qu'elle vienne, sinon qu'elle aille se faire f...

Horreur !

— T'es *smart* ! Tu sais qu'elle ne veut pas venir, c'est contre ses principes.

— Elle a peur. C'est pas une question de principes, ça. C'est officiel ou quoi ?

— Y'a rien de plus officiel. Qu'est-ce que ça te prend, un contrat signé et approuvé ?

J'ai voulu lui montrer de quoi j'étais capable, et j'ai dit :

— On part tout de suite. Mes parents sont à leur travail, le terrain est libre.

Je voyais bien qu'il était surpris, mais il voulait pas le laisser paraître, alors il a dit :

— Ça marche.

Il s'est levé. On est montés dans sa voiture. J'aurais voulu laisser un message dans la case de Sue, mais il ne m'a pas laissé le temps.

Dix minutes plus tard, on était rendus devant chez moi. Finalement il a décidé de prendre sa voiture à lui, (j'sais pas pourquoi !) Il ne me laissera jamais la conduire, j'en suis certaine ! J'aurais dû insister pour qu'on prenne la mienne, j'aurais eu le dessus ! Là, ça sert à rien de revenir là-dessus, c'est trop tard.

On est rentrés chez moi :

— Vous êtes riches ? (Chaque fois que j'invite des gens chez moi, ils demandent toujours ça.)

— Ouais, si on veut.

Je voyais bien que ça l'impressionnait, et puis je voulais pas le décevoir. on est montés dans ma chambre. J'ai sorti un sac de cuir.

— Tu fais tes bagages ?

— Ben quoi ?

— Pas trop gros.

— T'inquiète pas.

J'ai flanqué deux paires de *jeans,* trois *t-shirts*, des bas, des sous-vêtements, bref le nécessaire. J'ai apporté trois stylos, mon carnet de caisse, puis des *pads* (je suis une fille, quand même). Puis, j'ai pas oublié ma brosse à dents. J'ai laissé un message : «Je m'en vais. Reviendrai prochainement. Ne vous inquiétez pas, je suis entre bonnes mains. Votre fille adorée, Ève.»

Je l'ai fait lire à Carlos. Il s'est moqué parce que j'ai écrit :«Je suis entre bonnes mains.»

— Tu ne me connais pas bien à ce que je vois.

— Arrête tes salades.

Puis on est partis. Comme par hasard, il avait son carnet de caisse avec lui.

J'ai dit :

— T'amènes rien ? Pas de valises ?

— J'achèterai à mesure.

— C'est pour toi. Moi, je m'en fous.

C'était vrai, je m'en foutais...

On s'est rendus à la banque. J'ai retiré 500 $ pour partir, il m'en restait 850 $. Lui a retiré 200 $, il a pas voulu me dire combien il avait en tout.

J'ai dit :

— Tu me fais pas confiance, où tu me caches quelque chose ?

— C'est juste que c'est juste personnel.

Mon œil ! En tout cas, je regrettais presque de l'avoir suivi. Non, en fait, c'est lui qui m'a suivie. Sauf qu'on dirait toujours que c'est celui qui conduit qui fait suivre l'autre. Ça m'enrage. On a roulé environ deux heures. On parlait de tout et de rien. Il est plutôt intéressant pour un mec. N'empêche qu'il était macho.

Je lui ai demandé :

— Qu'est-ce qu'on fera pour ce soir ? Si on trouve pas d'hôtel ?

— Fie-toi à moi. (Il se prend pour Tarzan ou quoi ?)

— Non justement, j'me fie sur personne.

— Dans ce cas-là, tu vas trouver le voyage long...

— Développe, donc, s.v.p., j'suis trop idiote pour comprendre.

— T'es bien agressive. On dirait que t'as peur.

— Peur de quoi? J'me l'demande. Sûrement pas peur de toi, tout de même.

J'me suis mise à rire, mais je riais jaune. Tellement jaune que les yeux me bridaient! J'ai continué:

— C'est normal d'avoir peur un peu, non? T'as pas peur, toi? J'veux dire si les flics nous attrappent, ou s'il arrive quelque chose...

— Non.

J'ai été nulle de dire ça. Puis, après tout, j'avais pas si peur que ça.

On a continué à rouler. Il conduit assez bien, quand même. Il a l'air vraiment sûr de lui. J'ai demandé s'il me laisserait conduire.

— Ouais. Quand j'serais trop fatigué pour conduire moi-même.

Puis après on s'est mis à parler de Sue. Je lui ai demandé où il l'avait rencontrée.

— Pourquoi tu me demande ça, tu le sais déjà. Suzie doit bien te l'avoir conté dix fois.

Quand il a dit ça, je me suis mise à rire parce que c'était vrai.

— Pourquoi tu ris?

— À cause de la fatigue.

— Veux-tu qu'on s'arrête?

J'ai trouvé ça gentil de sa part. D'habitude, quand on dit aux gens qu'on est fatiguée, ils font comme s'ils n'avaient rien entendu. C'est vrai! Finalement, on s'est arrêtés. Il y avait un petit resto. J'ai commandé un sandwich. Il faisait très chaud.

— T'as quel âge?

— Dix-sept. J'ai poché mon secondaire II. Toi? Seize, je suppose.

— Ouais.

Je croyais qu'il avait seize ans. Suzie m'avait dit seize. En tout cas, c'est lui qui a payé la facture. Une autre preuve qu'il est macho.

— T'es macho.

— Suzie, elle m'aurait trouvé galant.

— Suzie, Suzie! Là t'es avec moi.

— C'est toi qui arrête pas de parler d'elle depuis tantôt.

J'ai rien répondu, j'en avais assez dit. Chaque fois que j'ouvre la bouche c'est pour dire des conneries. Vingt minutes plus tard, il m'a demandé :

— Qu'est-ce que t'as, tu boudes ?

— Non, j'suis fatiguée, c'est tout.

— On va s'arrêter pour dormir.

Il était 19 heures. On s'est arrêtés au motel Alouette. J'avais aucune idée où on était. Le type à la réception avait l'air drogué. Il nous a même pas demandé notre âge. C'est pour vous dire dans quel genre d'endroit on était ! C'est encore Carlos qui a payé. Je lui ai donné 25 $ pour le dédommager. Il a refusé. J'ai dit :

— Écoute, tu vas pas tout payer, quand même.

— Tu paieras demain, c'est tout.

— D'accord.

J'ai sorti un pyjama et des sous-vêtements que j'avais chipés à mon père. Il a dit : «Merci !» J'étais un peu gênée. En plus c'était un lit double. Il est descendu en bas s'acheter un brosse à dents. J'en ai profité pour me changer. J'ai mis un *t-shirt*. Il a pas tardé à remonter. Il avait de la bière. J'avais soif, ça tombait bien. On a regardé un film d'Hitchcock, *Les enchaînés*, avec Ingrid Bergman. C'était terrible.

Il était 22 heures. Ça faisait trois bières que je buvais... Je me sentais vraiment bien. Il a demandé :

— Ça te dérange pas si je reste en slip ?

— Non.

C'était faux. Ça me dérangeait un peu, j'suis tellement timide, même avec de l'alcool dans le corps.

Je suis sortie sur le patio. Il faisait tellement chaud, on étouffait. J'ai regardé le ciel, y'avait tout plein d'étoiles. J'me suis demandé ce que faisait Suzie. Mais dans le fond ça me passait 10 pieds par-dessus la tête. Honnêtement. Y'avait des grillons qui chantaient. J'ai demandé à Carlos sous quel nom il nous avait enregistrés pour la chambre, il m'a dit : Richard Lemelin. (C'est le nom de son ancien *coach* de hockey.) J'ai demandé s'il avait envie de dormir tout de suite. Il a répondu : «Oui, j'suis éreinté. C'est fatiguant de conduire.» J'ai dit : «J'sais.» Mais je ne savais pas. C'est pas vraiment important. On s'est couchés. Il était 22 heures 30.

Jeudi 27 mai

On s'est levés à 9 heures. Les cours devaient déjà être commencés à la poly. Je commençais la journée en français, je crois. Ça fait drôle d'y penser.

Il faisait moins chaud qu'hier. J'ai pris ma douche. Lui aussi. On est descendus. Il a dit :

— Après déjeuner, on cherchera une boutique où je pourrai m'acheter des fringues.

— O.K.

Il avait l'air crevé. On avait quand même relativement bien dormi. C'était la première fois que je dormais avec un mec. Quand je lui ai dit ça, il a souri. J'ai pas osé lui demander pour Suzie. C'est pas de mes affaires, de toute façon. Elle me l'aurait probablement dit. J'suis sûre qu'ils n'ont pas couché ensemble. Ça me surprendrait. Suzie est vierge. Elle est vraiment vierge. On a bouffé nos crêpes puis on s'est informés auprès du cuistot pour savoir où on pourrait trouver une boutique. Il a radoté un truc, j'ai pas trop compris, puis finalement, on est partis, Carlos avait l'air de savoir où on s'en allait. J'ai suivi. Je commence à lui faire confiance. Je sais pas si c'est une bonne ou une mauvaise chose! Disons que c'est une bonne chose. J'ai commencé à parler du type qui s'était suicidé en écoutant *Suicide Solution*, et il a dit qu'il ne croyait pas à ces histoires-là, qu'il n'y avait aucune preuve, à propos des messages subliminaux, de ce que ça faisait au cerveau, si ça influençait le comportement en tout. J'ai trouvé qu'il en savait pas mal sur le subliminal. Je lui ai pas dit pour pas qu'il s'enfle la tête avec ça. Je lui ai demandé :

— Pourquoi tu me parles pas de ta famille, un peu, ça ferait un sujet de convers'.

— Il n'y a rien a dire sur eux.

— Eux, c'est ta famille, ça?

— Ouais.

De la façon dont il répondait, on voyait bien qu'il ne voulait pas en parler, alors j'ai rien ajouté.

Nous avons parlé de ses anciennes blondes, ça, ça l'intéresserait un peu plus.

— J'suis sorti avec une fille, elle s'appellait Solveig, c'était une Allemande. Elle était comme toi, elle parlait pas beaucoup, quand elle ouvrait la bouche c'était pour poser des questions.

— Ça te dérange?

— Non c'est pas que ça me dérange, mais je trouve ça amusant.

Ah bon! J'ai allumé la radio. C'était *Into the groove* qui jouait. Je lui ai demandé s'il aimait Madonna.

— Bof, j'aime mieux les groupes *heavy*.

Finalement, on est arrivés en ville. Il y avait un centre commercial. La boutique pour hommes s'appelait *Mode ultra*. Carlos s'est acheté des fringues. J'avais soif, alors on s'est assis au resto-bar *Les Capucines*. On a bu du café. Je lui ai dit que je voulais aller au cinéma.

— C'est pas une mauvaise idée.

Le film, c'était *Camille Claudel*, avec Isabelle Adjani et Gérard Depardieu. J'ai adoré ça. Carlos, pas. Il s'est endormi. C'est vrai que ça le fatigue, la conduite. Je le regardais tandis qu'il dormait. Il est pas laid du tout, vous savez. Il a des cheveux bruns foncés, les yeux noirs. Il est plus grand que moi. Il mesure 1,75 m, je crois. Il est musclé (Suzie les choisit toujours musclés). Il ressemble à Apollon ! Non quand même ! Il est vraiment beau.

Moi, je me demande si je suis belle. C'est drôle. Les gens peuvent vous cataloguer comme «beau, bien, laid ou laide», en trois secondes. Le pire c'est que c'est relatif. C'est important de nos jours la beauté. Dans la société actuelle, j'veux dire. Quand je vois un gars ou une fille vraiment laids, ça me fait quelque chose. On dirait que c'est plus important pour une fille d'être belle. Ça fait partie des stéréotypes sexuels... Les gars, ils ont souvent des drôles de goûts. Suzie, les mecs la trouvent belle. Il faudrait que je demande à Carlos si je suis aussi belle que Suzie... Ah non ! il va penser que je veux compétitionner avec elle, et donc que je suis amoureuse de lui. J'veux pas qu'il pense ça. On est tellement bien, là, c'est pas compliqué entre nous, on apprend à se connaître. C'est quand même la première fois que je suis aussi intime avec un type.

Il a fini par se réveiller. Il s'est excusé. J'ai dit :

— C'est pas grave.

Il était 16 heures. On est sortis du cinéma. On est allés souper au resto italien. C'était pas mal. C'est encore moi qui ai payé. J'ai dit :

— Pourquoi on sort pas ? C'est jeudi après tout.

— Si tu veux, on peut aller quelque part.

On s'est trouvés un hôtel près du centre-ville, l'Hôtel central. La chambre était minable. Une chance qu'il y avait une télévision parce qu'il n'y avait qu'une fenêtre, pas de balcon. J'ai écouté les nouvelles. Ils n'ont pas parlé de nous. Le contraire m'aurait surprise. J'ai pensé appeller Sue, mais je me suis dit qu'elle devait être fâchée, alors j'ai laissé tomber.

J'ai dit à Carlos que je descendais à la tabagie pour m'acheter des cigarettes. Il a dit :

— Tu fumes ?

— Ouais, quand je suis énervée.

C'est vrai que je l'étais. J'ai acheté un paquet d'Export A et j'ai traversé la rue, il y avait une pharmacie. J'ai acheté une teinture pour mes cheveux, j'avais peur que quelqu'un me reconnaisse et j'ai trouvé que c'était une bonne idée de me teindre en blonde. J'ai montré ça à Carlos et il a dit :

— Tu t'en fais pour rien.

— Je m'en fous, ça me tente d'être blonde.

Une heure plus tard, j'étais platine. Carlos trouvait ça assez *cute*. Moi, je trouve ça super. Je ressemble à Madonna, surtout parce que mes cheveux sont courts (mais disons que je ressemble plutôt à l'ancienne Madonna, car maintenant elle a les cheveux bruns, longs et frisés). Finalement, on est descendus, il y avait un club en bas de l'hôtel. J'avais peur qu'ils me demandent mon âge, mais non, ils m'ont servi mon *Pink Lady* sans rien dire. Carlos a commandé un *Zombie*. Y'avait pas beaucoup de gens, la plupart étaient assez âgés, mais y'avait tout de même quelques jeunes. Carlos et moi, on se regardait, on parlait pas parce que la musique enterrait nos voix. Vers 23 heures j'ai commandé un *rhum and coke*. Y'avait de plus en plus de monde, tellement que ça devenait étourdissant...

Je suis allée danser, Carlos est resté à la table, il buvait un *screwdriver*. C'était la nouvelle chanson de Madonna qui jouait, c'est pour ça que j'avais le goût de danser. Tout à coup, y'a un type qui s'est flanqué devant moi. Il ressemblait à David Bowie, sans blague. Il me souriait. J'savais pas trop quoi faire, j'ai continué à danser. J'espérais qu'il s'en aille parce qu'il ne m'intéressait pas vraiment. Il devait avoir dans les vingt-deux, vingt-trois ans. J'ai pensé retourner m'asseoir, mais j'avais peur qu'il me suive. Une rousse s'est approchée de nous, lui souriant de toutes ses dents. Ils se sont rapprochés. J'étais sauvée. Mais j'en avais ma claque, il faisait chaud, alors je suis retournée à la table. Carlos parlait avec une fille. Je m'en foutais. Elle était blonde. Je me suis assise. Elle m'a regardée et elle a regardé Carlos. Je crois qu'il lui a dit que j'étais sa sœur ou quelque chose du genre. Elle devait pas le croire parce qu'on ne se ressemble pas du tout (surtout avec ma tête à la Marilyn). Je me sentais de trop, alors je suis repartie danser. Le mec à la Bowie était encore là avec sa pute. C'était *Guns and Roses* qui jouait. J'avais le goût de vomir. Je savais pas si c'était le mix *rhum and coke - Pink Lady* ou *Guns and Roses* qui était coupable, mais je me suis dirigée vers les toilettes. En passant, j'ai vu la blonde et Carlos qui se collaient pas mal. J'ai pensé à Sue et je me suis dit que les mecs sont drôlement salauds parfois.

Je suis montée à la chambre, j'en avais jusque là de tout cette musique de détraqués. Je me suis déhabillée (complètement) et, cinq minutes plus tard, je ronflais.

Vendredi 28 mai

À mon réveil, Carlos dormait encore à côté de moi. J'étais complètement nue. Lui aussi. C'était amusant, j'ai pas pu m'empêcher de regarder vous savez quoi. Une chance qu'il dormait profondément. De quoi j'aurais eu l'air s'il s'était réveillé et m'avait surprise en train d'observer son machin ! Je suppose qu'il a fait la même chose que moi hier alors... Il a dû regarder mes seins, je suis certaine qu'il les a regardés. Il devait être drôlement déçu. Mes seins sont minuscules. Là-dessus, je ressemble vraiment pas à Madonna ni à Marilyn. Je suis une vraie planche à repasser. C'est déprimant.

J'ai pris mon bain et il a cogné à la porte.

J'ai dit :

— Entre. (Il y avait de la mousse dans le bain.)

— Pourquoi t'es partie, hier ?

— J'me sentais pas bien.

— Ah bon ! Qu'est-ce qu'on fait aujourd'hui ?

— J'sais pas, on fait ce que tu veux, c'est toi qui paies !

Il a souri et il est sorti de la salle de bains. Ça m'a fait plaisir qu'il ait souri comme ça. Je sais pas pourquoi, mais ça m'a mise de bonne humeur.

On est sortis de l'hôtel vers midi. On est allés bouffer des hamburgers chez Mc Donald's. Là je sentais qu'on commençait à se connaître vraiment. J'veux dire, on était plus timides du tout. C'est peut-être parce qu'on avait dormi nus, *who knows* ? On s'est mis à parler d'hier, de la blonde, et tout. Il a dit :

— Il s'est rien passé.

— Si c'est à cause de Suzie que t'oses pas me le dire, t'as tort. Tu peux me faire confiance, tu sais...

— Suzie a rien à voir là-dedans... Il s'est vraiment rien passé.

Il est vraiment très discret. Je sais jamais ce qu'il pense, au fond de lui-même, ce qui lui passe par la tête ou bien l'opinion qu'il a de moi, vous savez. Non, vous ne pouvez pas vraiment savoir, c'est compliqué. Il dit ses opinions, mais je sais bien que c'est pas ses vraies opinions, qu'il dit ça juste parce que c'est impossible de toujours parler objectivement, comprenez-vous ? Comme Suzie, par exemple. Je sais pas s'il est amoureux d'elle, s'il l'a vraiment dans la peau, je veux dire. Je sens bien qu'il éprouve quelque chose pour elle, ouais, mais j'arrive pas à deviner quoi. J'arrive pas à mettre le doigt dessus, on dirait. Il est peut-être amoureux d'elle, après tout. Le plus simple serait de lui demander, mais s'il l'aime, qu'est-ce qu'il fait avec moi, alors ? J'me pose trop de questions, je complique tout.

En sortant du McDo, il s'est mis à pleuvoir. On s'est dépêchés de rentrer dans la voiture. Carlos s'apprêtait à démarrer. J'ai dit :

— Non, on reste ici.

— Pourquoi ? On a rien à faire ici, on s'en va.

— On devrait rester ici, un peu encore, une demi-heure ou moins.

J'sais pas pourquoi je voulais rester. C'est bizarre. J'avais aucune raison spécifique. J'aimais ça, j'étais bien. Il pleuvait, (j'adore la pluie et je déteste le soleil, alors

73

ça me plaisait). Et puis on aurait dit que j'étais incroyablement dans mon élément. C'était silencieux. Ça faisait tellement changement. D'habitude, il y a toujours du bruit, qu'on aille n'importe où, il y a du bruit. J'me suis souvenue quand j'étais petite, que je passais des journées entières dans la piscine, dans le fond plus précisément parce que, dans le fond de l'eau, y'a aucun bruit. Je remontais à la surface pour respirer, puis je retournais dans le fond. J'étais en paix.

J'ai allumé la radio. Il a rien dit. Il comprenait pas, mais il n'a pas essayé de me convaincre de partir. On a écouté la radio pendant une demi-heure.

J'ai fini par lui dire qu'on pouvait s'en aller. Il avait l'air content, mais il n'a rien dit. Je lui ai demandé de me prêter son portefeuille. J'ai regardé ses cartes. Son vrai nom, c'est Carl. Carlos, c'est juste pour les intimes. À l'école tout le monde le connaît sous le nom de Carlos. Mais sur sa carte, c'était Carl. C'est mieux, je crois.

On a roulé pendant une heure environ. Il ne s'est pas encore trouvé assez fatigué pour me laisser conduire... J'm'en fous. Je deviens complètement nouille avec mes principes féministes. Mais je trouve que je commence à réagir comme une héroïne de roman Harlequin ! De toute façon, y'a rien de sentimental entre nous deux, alors ! Mais ça finit toujours par être sentimental avec les mecs, qu'on le veuille ou non. C'est vrai, ça. Moi, par exemple, je peux pas m'empêcher de penser à certains trucs sexuels. Sauf si le type est horrible, vraiment difforme, je veux dire. Je dois être obsédée, ou bien c'est un phénomène normal de l'adolescence, Je crois bien que je suis obsédée parce que Suzie et les autres filles n'ont jamais parlé de leurs obssessions sexuelles, elles... c'est bizarre. La sexualité, puis toutes ces choses-là, j'ai vraiment de la difficulté à comprendre ça. L'amour aussi. Vous allez me dire que je suis un peu jeune, mais quand même, j'en sais un rayon là-dessus. J'ai observé plus qu'autre chose. Et puis, l'amour ça n'a pas d'âge, tout le monde le dit. Y'a pas de véritable amour. L'amour, ça existe sous toutes sortes de formes (ce qui précède je l'ai lu dans un livre). On aime pas moins à seize ans qu'à trente. Moi, l'amour, j'ai toujours eu l'impression que c'était une illusion. Quelque chose qu'on crée soi-même, dans un sens. On le détruit nous-même aussi... avec nos comportements, par exemple. On s'arrange pour que ça finisse, comme sans s'en rendre compte. J'me demande bien ce qui fait qu'on tombe amoureux de quelqu'un en particulier. Ça, ça m'intrigue vraiment ! J'y repenserai demain, ou un autre jour. À moins que je demande à Carlos, son opinion là-dessus. Ah non ! il va se moquer de moi ! Pourquoi on a toujours peur que les autres se moquent de nous ? Ça aussi, ça me chicote.

Après avoir roulé pendant une heure, comme je vous disais, on s'est ramassés près d'un motel. On passe vraiment nos journées dans des motels (ou hôtel, ça dépend de ce qui se présente). Mais il pleuvait, alors ça nous faisait rien de s'enfermer. Je pense que c'est pour ça que j'aime la pluie. Quand il pleut, on ne se sent pas coupable parce qu'on se barricade à l'intérieur pour lire ou flâner. C'est le fait de niaiser sans me sentir coupable, que j'aime. Pas la pluie ! En fait, pas vraiment...

À cinq heures, j'avais faim, alors on s'est rendus au restaurant du motel. On a mangé du spaghetti. C'était délicieux, mais j'aurais aimé mieux qu'on mange dans la même assiette (comme dans les vieux films. Vous savez, quand deux amoureux mangent dans la même assiette de spaghetti et que soudain ils sucent le même spaghetti et que leurs visages se rapprochent, puis qu'ils s'embrassent !) Ensuite, on est remontés à la chambre. Il a allumé la télévision. Le couvre-lit était bleu poudre, «couleur habit-de-marié». C'était horrible. Il y avait un programme idiot avec des concurrents qui devaient deviner le visage qui se cache derrière un genre de casse-tête. C'était inouï, personne ne réussissait à deviner.

J'étais plutôt fatiguée, alors je me suis étendue sur le lit. En fait, j'étais pas vraiment fatiguée, j'étais plutôt triste. Quand on est triste, on dit toujours qu'on est fatigué. Les gens nous écoutent pas lorsqu'on dit qu'on est triste (ça, je l'ai lu dans un autre livre). Je sais pas pourquoi j'étais triste. Je crois que c'est parce que je sentais qu'on ne communiquait pas vraiment. Il y avait un vide entre nous deux.

C'est tellement difficile la communication. Surtout entre les sexes... Il faudrait toujours deviner, on dirait. Ça me fait presque penser à de la communication entre malentendants. On essaie toujours de tout comprendre sans ouvrir la bouche. Et pourtant, c'est impossible. On devrait le savoir. Que ce soit dans n'importe quoi. Par exemple, avec les mecs : c'est dément. Aussitôt que je me mets à *kicker* sur un type, au lieu d'aller le voir pour dire franchement «tu me plais beaucoup, j'aimerais te connaître mieux», je passe des semaines, des mois à l'observer, à le scruter, à surveiller tout ce qu'il fait, les vêtements qu'il porte, les gens et les endroits qu'il fréquente, la sorte de musique qu'il écoute, et tout, et tout. J'aime me compliquer la vie, comme vous pouvez voir. J'aimerais tant ça avoir du cran, du courage. J'ai l'impression que je suis complètement nulle parfois. J'ai affreusement peur du rejet. Pourtant je ne suis pas si horrible que ça, vous savez ! C'est juste que je suis maladroite, gauche en un sens. Puis c'est peut-être parce que je suis une fille que je suis comme ça. On dirait que c'est dans notre éducation. On a toujours appris à attendre que les mecs viennent nous parler, qu'ILS fassent les premiers pas. C'est toujours les types qui se lèvent pour venir nous inviter à danser ou pour nous parler. Parfois, ils nous envoient des consommations. Moi, ça m'est arrivé une fois; un type m'a fait servir un *screwdriver*. J'étais si flattée que je gloussais comme une dinde ! Ça me rend idiote des trucs comme ça. N'empêche que le type était pas mal. Mais finalement, je suis partie, j'étais avec Suzie et on était pressées. Il devait m'en vouloir, le pauvre ! Bah ! Peut-être pas.

Je vous ai pas parlé beaucoup de ma vie d'écolière. C'est pas que j'aie rien à dire, au contraire, c'est juste que ça me donne la nausée d'y penser. Je me souviens quand j'étais au secondaire II, j'étais amoureuse d'un *rocker* (il écoutait du *heavy metal*, car il portait toujours des *t-shirts* de *Metallica*). Je l'aimais vraiment. Mais, comme la plupart des *rockers*, il était vraiment nul à l'école, j'veux dire, il se foutait de ses résultats. Il s'en foutait complètement (Moi, j'essayais de m'en foutre, mais j'y arrivais pas. C'est sûrement parce que mon père est architecte, que je suis cultivée et bourgeoisée !) Évidemment, il ne voulait rien savoir de moi. Vous savez, les *rockers* ne sortent jamais avec des filles qui portent des vêtements Polo Ralph Lauren. C'est illogique. C'est impensable. C'est dégueulasse les classes sociales ! J'aurais presque préféré naître en pays communiste ! Non, pas vraiment...

Ce type-là, il n'aurait jamais pu vivre une histoire d'amour avec une fille qui écoute Madonna. Tout ça pour vous dire que les mecs qui m'attirent le plus ils sont souvent *rockers* ou drogués. Je suis trop bien pour eux ou je sais pas. Je ne peux pas dire que je sois plus intelligente qu'eux, je ne sais pas, il y a peut-être des sacrés cerceaux qui écoutent du Metallica... Metallica ! J'les trouve vraiment assommants. C'est rythmé, c'est certain, mais il y a aucun moyen de comprendre ce qu'ils disent. Tout ce qu'on sait, c'est qu'ils veulent se défouler, avec tout le tapage qu'ils font, il y a de la violence à l'intérieur d'eux.

La plupart des jeunes qui les écoutent se retrouvent là-dedans, je suppose. Ils sont chanceux quand même (les rockers). Ils peuvent faire des mauvais coups, comme sécher des tas de cours, des journées entières même. Ils peuvent insulter les profs, ils sont tellement indifférents en face de leur avenir. Ils vivent dans le présent. Moi, je me projette dans l'avenir. Parce ce que mon présent est plutôt morne. Puis, ils n'ont pas à se préoccuper de leur apparence, eux. Ils sont toujours en *jeans*, *t-shirts*, en *coats* de cuir.

Nous autres les *preppies*, on est toujours à la dernière mode, du moins on essaie. Ça me fait penser à un concours. Celui qui possède le plus de vêtements avec dessus : crocodiles, joueur polo, nom de designers, etc. Mais ça ne m'empêche pas d'en porter. Mes parents paient, ils veulent que j'aie un *look* respectable. Le problème, c'est que dès que tu as un *look* respectable, justement, la moitié de la polyvalente te renie. Puis ça fait de la compétition. Personne ne te fait remarquer que tu es bien habillée, ils sont tous jaloux de toi, C'est débile. Pas un compliment. Ils font comme s'ils n'avaient rien remarqué. Quand je suis partie avec Carlos, j'ai apporté seulement de vieux *t-shirts* et des *jeans*. Je me sens tellement mieux ! Mais je suis trop intellectuelle pour devenir *rockeuse* comme lui. J'ai pas apporté de maquillage, non plus. J'en ai pas beaucoup, enfin pas autant que Suzie. Elle doit avoir des dizaines de tubes de rouge à lèvres, des douzaines d'ombres à paupière, des tas de mascaras, des crayons, du fard à joues, des parfums et à elle toute seule. Elle pourrait fournir une représentante Avon en produits pendant une semaine!

À douze ou treize ans, on aime ça se maquiller, mais ensuite on se lasse. On fait ça pour paraître un peu plus âgée. On pense que ça nous embellit. On se fout un doigt dans l'œil! Le maquillage, ça sert à redonner des couleurs aux vieilles peaux!

J'étais étendue sur le lit, comme je vous disais. J'ai commencé à feuilleter un magazine que je m'étais acheté la veille, parce qu'il y avait Madonna en couverture, toute souriante, avec des perles aux oreilles et un costume ultra-chic, en soie couleur crème, sur le dos. Elle est vraiment super, avec sa mèche blonde sur le dessus de la tête! J'ai commencé à lire l'interview (exceptionnellement) qu'ils avaient fait avec elle. Elle ne donne pas beaucoup d'entrevues, vous savez, Madonna, parce que si elle donne une interview à un quelconque magazine, les autres seront jaloux et ils descendront son dernier album, (elle doit être très prudente là-dessus). Elle parlait de son enfance, de sa carrière, mais elle ne voulait pas parler des *four letter words* (au cas où vous ne seriez pas au courant, elle vient de divorcer d'avec Sean Penn : quatre lettres chaque mot, vous comprenez...). Y'a pas seulement Sean et Penn il y a aussi *dead*, *over*, *love*. Elle dit qu'aimer c'est comme respirer, on ne peut pas s'en empêcher (*love is like breathing, you must do it*). On en a besoin pour vivre. Elle est très brillante, cette fille. Elle a trente ans maintenant. C'est vrai qu'on a besoin d'aimer. C'est très difficile à admettre. On voudrait être indifférente, insensible, mais on y arrive pas. J'ai passé beaucoup de temps à essayer de me faire croire que je n'aurais pas besoin de ma mère, de mon père, ni de Suzie. Ni de Madonna. Mais je me suis rendu compte que j'avais besoin d'eux. Même en ce moment, j'ai Carlos, j'ai besoin de lui. J'ai besoin de sa présence, même s'il ne parle pas beaucoup. Juste le fait de savoir qu'il est là me rassure. Je ne me considère pas comme un parasite pour autant. Je n'ai pas vraiment besoin d'eux, mais disons que s'ils n'étaient pas là, la vie serait plutôt morne.

Mon nom de baptême c'est Laura, Sophie, Ève Dupuis. Celui de Madonna, c'est Madonna Louise Veronica Ciccone. Le film que Carlos était en train d'écouter c'est *Grease*. Moi, le meilleur film que j'aie vu, je crois que c'est *De sang froid* (*In cold Blood*). C'est terrible ! C'est l'histoire de deux types qui tuent une famille de fermiers, comme ça, pour rien. C'est dingue ! Moi, je pourrais jamais tuer quelqu'un, jamais. Je me tuerais avant de tuer quelqu'un. Même si j'avais envie de tuer tout le monde autour de moi, je me tuerais moi-même, c'est plus simple. Je déteste les gens sadiques, ceux qui font mal aux autres juste pour le plaisir. Je les tuerais. Dans ce cas-là, je deviendrais sadique, alors ça en vaudrait pas la peine. Moi, je suis vraiment facile à peiner, disons, je suis trop sensible. Surtout lorsque je suis fatiguée. Je n'arrête pas de pleurer, pour rien, puis j'ai comme mal à la gorge. On dirait que la gorge me serre, que j'ai une boule dans l'estomac. Ça c'est quand j'ai vraiment de la peine. Je ferais n'importe quoi pour arrêter d'avoir mal. J'voudrais que ça s'arrête, mais ça n'arrête pas. Comme quand je suis fatiguée puis que je voudrais dormir, mais je suis trop tendue. J'y arrive pas. Ça me frustre. Et je suis deux fois plus fatiguée le lendemain. Mais la peine c'est seulement à cause des gars. Mais pas toujours. C'est souvent parce que les choses arrivent différemment de ce j'aurais souhaité. J'aurais pas voulu que ça arrive, même si c'est pas ma faute. Une fois, j'aimais un type, je l'aimais vraiment j'veux dire, je rêvais à lui. J'aurais voulu l'avoir à moi toute seule. Il me rendait folle.

Eh bien, ce type-là, il voulait rien savoir de moi. Il ne m'aimait pas. Il me trouvait pas de son goût, ni belle, ni rien. Puis il s'est pas gêné pour me le faire savoir. À partir de ce moment-là, j'ai décidé que je laisserais plus jamais faire savoir à un type que je l'aimais. Plus jamais ! Je me suis dit que j'attendrais qu'il fasse les premiers pas, et qu'il se déclare avant moi. Eh bien, depuis ce temps-là, j'en ai plus eu de types. J'ai trop l'air antipathique. J'ai l'air d'un glacier. Mais ça, je vous en ai déjà parlé. Mais le pire là-dedans, c'est que ce type, je l'ai jamais détesté, j'ai continué de l'aimer, à rêver à lui et à le désirer. Même s'il m'a rejetée comme si j'étais du poisson pourri. J'm'en foutais. Je l'aimais quand même. C'est idiot. Je me serais traînée devant lui, j'aurais fait n'importe quoi, je serais montée sur le toit de l'école et j'aurais hurlé que je l'aimais ! Ce type-là était vraiment crétin, en plus ! Seigneur ! J'suis comme ça et je changerai pas de sitôt. Même si je devrais...

Je me souviens en avoir parlé avec un type, et il m'avait dit que même Freud ne me comprenait pas. Il disait que j'étais vraiment *bats*. Je comprenais pas ce que ça voulait dire *bats*, alors il m'a expliqué que j'avais quelques araignées dans le plafond. Crétin !

À la télé, il y avait le nouveau vidéo-clip de la divine Madonna. Elle a de nouveau teint ses cheveux, complètement blonds cette fois-ci. Elle a beaucoup maigri dernièrement à cause de ses problèmes de cœur, je suppose. Elle danse, puis à un moment donné, elle met sa main entre ses jambes. Elle ferait n'importe quoi pour provoquer. Et ça marche ! Carlos a dit : «Elle est ben pute, elle !» Je riais, je la trouve tordante, Madonna. Lui, il trouvait pas ça drôle du tout. Il était de mauvaise humeur, à vrai dire. Il s'ennuie peut-être de Suzie, ou de ses parents, qui sait ? Ça ne me surprendrait pas. Je devrais lui demander.

Suzie doit être en train de se faire du sang de cochon, comme je la connais. Mais pas pour nous, plutôt à propos de ce qui se passe entre nous. Si on se faisait assassiner, elle s'en ficherait probablement. Mais si on faisait quelque chose ensemble (d'intime j'veux dire), là, elle en crèverait ! Elle est égoïste, dans le fond. Ouais. Elle mène tout le monde. Surtout moi. Mais elle fait des coups extra parfois ! Des trucs déments ! Je me rappelle à l'école, une fois, elle était tombée amoureuse d'un type, il s'appelait Nicolas, je crois. Elle était descendue en bas, dans le bureau de la secrétaire du psychologue, et lorsque le terrain s'est libéré, elle a piqué le dossier du fameux Nicolas. Il y avait plein de trucs, à l'intérieur de ce dossier-là, des trucs plutôt confidentiels. Le gars avait des problèmes d'apprentissage et de comportement et il avait été voir le psy. Tout était écrit. Tout. Finalement, elle a appris un foutu rayon sur ce type-là ! Il ne voulait rien savoir d'elle, je crois. (Un des seuls qui lui ait dit non...)

Moi, j'aurais jamais pu faire une chose semblable, j'aurais eu peur de me faire prendre ou quelque chose du genre, vous voyez. Le pire, c'est qu'elle est allée le rapporter après, juste à sa place dans le classeur. Incroyable!

J'ai dit à Carlos que j'allais à l'office pour acheter des chips, alors je me suis levée du lit et suis partie. Quand je suis revenue, Carlos était dans la douche. Alors j'ai pensé à la scène dans *Psychose* où Janet Leigh se fait assassiner. Elle se fait poignarder. Personne ne croyait que Hitchcock la ferait mourir si tôt (une demi-heure après le début du film). Car elle était une star, vous voyez. Mais il l'a fait! Sacré Hitchcock! Mais mon Hitch préféré c'est *Rear Window*. C'est incroyablement bon. Finalement, Carlos est sorti de la douche. Il portait encore son éternel slip. Là, je lui ai dit que j'avais envie de lui parler. Il a dit:

— Parler de quoi?

— De n'importe quoi, mais parler. On ne parle pas assez.

— On parle pourtant, j'vois pas de problèmes...

— On parle comme ça, on se dit des conneries, c'est pas vraiment parler ça!

— Vous autres les filles, vous êtes jamais contentes de rien. Vous avez tellement pas confiance en vous autres ! Faudrait toujours qu'on vous rassure, qu'on vous dise des trucs.

Quand il a dit ça, j'ai eu envie de l'assommer. Je lui ai dit :

— Allez, si t'as d'autres choses à dire sur les filles, crache, c'est le temps, là.

Il a rien ajouté, c'est toujours comme ça avec les types. Quand ça devient intéressant, ils se taisent ou ils s'en vont. Lui, il a allumé la télé. J'ai dit :

— Pas la télé, s'il vous plaît...

Il a tourné le bouton.

— Qu'est-ce qu'il y a ? Qu'est-ce qui va pas ? On n'est pas bien là ? Pourquoi tu veux tout compliquer pour rien ? Tu me fais penser à Suzie quand tu cries comme ça.

Quand il a dit ça, je n'ai plus su quoi répondre. Vraiment plus. Il a éteint la lumière, s'est couché, et il s'est endormi.

Samedi 29 mai

Lorsque j'ai ouvert les yeux, Carlos dormait encore, alors je me suis habillée en vitesse et je suis allée chercher le journal. Il n'y avait rien de spécial. Pas de photos de nous, ni rien, heureusement... J'ai commencé à feuilleter les petites annonces. J'ai alors vu un message qui se lit comme suit :

Ève D., j'espère que tu peux me lire.
C'est Suzie. Reviens vite car
tes parents sont très inquiets.
Et ramène-moi mon Carlos. S.V.P.

Idiote ! Si elle croit qu'elle n'a qu'à passer une petite annonce pour qu'on revienne se mettre à ses pieds, elle se met un doigt dans l'œil ! Elle est idiote ! Lire ça, ça me donne deux fois moins envie de revenir. Ça m'a déprimée. Incroyable ! *Tes parents sont très inquiets*, ouais. J'm'en balance : qu'ils s'inquiètent tant qu'ils veulent j'en ai rien à foutre. Rien. Ça va leur apprendre !

Ils me prendront peut-être au sérieux, à l'avenir. Au moins, en ce moment, je ne me sens pas de trop. Ils peuvent aller au restaurant en couple, tant qu'ils veulent, ils peuvent sortir, aller voir leurs amis, faire du bruit dans leur chambre, je ne suis plus là pour les entendre. Je ne vois pas de quoi ils se plaindraient. Je reviendrai quand je n'aurai plus un sou. Pour l'instant, il me reste assez de fric.

Quand Carlos s'est réveillé, il avait l'air en forme. Il a une cicatrice dans le visage, il s'est battu il y a environ un mois. Pauvre lui...Ça ressemble à une sucette. Je me souviens l'an dernier, j'avais les cheveux longs, et je fréquentais un type. Il m'avait fait une sucette dans le cou. La même semaine, je m'étais fait couper les cheveux courts, alors la sucette paraissait énormément. Tout le monde se moquait de moi. Le type a passé pour un sadique. Pourtant, moi, je trouve ça affectueux, faire une sucette. Ça n'en prend vraiment pas beaucoup des fois pour scandaliser les gens !

On avait faim alors on a marché jusqu'au resto du motel. J'ai lu la chronique de Pierre Foglia dans *La Presse*. Je la lis tout le temps. J'adore son style, j'voudrais avoir son sens de l'humour, son ironie. J'adore ses chroniques, vraiment. J'ai bouffé un sundae aux framboises pour dessert; puis Carlos a bu une «Bud». Il mange très peu ce type. Enfin, pour un gars de sa taille.

Lorsqu'on a fini notre petit dîner, on ne savait plus quoi faire. J'ai proposé qu'on essaie de trouver un guichet parce qu'on commençait à être en manque de liquidités puis, j'ai pensé que les flics auraient sans doute nos numéros de compte en banque et qu'ils sauraient qu'on avait fait une transaction à tel endroit et qu'ils nous découvriraient peut-être. Mais en y repensant bien, c'était presque impossible. C'était plutôt tiré par les cheveux comme hypothèse ! Une chance que j'en ai pas parlé à Carlos. Il m'aurait cru paranoïaque ou je sais pas quoi...

On a repris la route, vers une ville quelconque. On voulait surtout trouver une banque. Moi, je regardais le paysage, comme d'habitude. Il me laisserait jamais conduire même s'il avait les deux jambes dans le plâtre, cet imbécile. Rien à faire. Vraiment.

Finalement, on approchait d'un village, alors on s'est arrêtés pour faire le plein. On allait tourner vers le poste à essence lorsque j'ai aperçu un flic en face de nous. J'étais très effayée. Je ne parlais pas et j'espérais qu'il ne nous verrait pas. J'avais une de ces trouilles! Carlos n'avait pas l'air embêté du tout. Il a demandé au commis de nettoyer la vitre arrière pendant que le réservoir se remplissait, et après qu'il eut payé, on est partis. Le flic ne nous a pas suivi. J'étais soulagée.

On a continué à rouler tranquillement lorsque j'ai vu qu'il y avait un marché aux puces près de l'église du village. J'ai dit : «On y va !» On s'est garés et on s'est vite rendu compte qu'il n'y avait pas grand-chose là. Il n'y avait que quelques trucs qui auraient pu m'intéresser, comme deux vieux albums des Beatles, un jeu de domino et des boucles d'oreilles en forme de bananes bleues. Ces boucles d'oreilles-là auraient été parfaites pour Suzie. Carlos m'a emprunté 10 $ pour acheter deux cassettes de Jethro Tull. Ensuite, on est allés demander à une dame de nous indiquer où est-ce qu'on pourrait trouver une banque. Elle nous a dit de continuer jusqu'au prochain village et que là on trouverait un guichet. Pour la remercier, j'ai acheté une paire de bas de nylon vert fluo, et on est partis. J'ai demandé à Carlos pourquoi il avait acheté ces cassettes. Il m'a répondu que c'était parce que son frère était fan de Jethro Tull...

J'ai demandé :

— Est-ce que tu as envie de retourner à la maison ?

— Non, j'ai pas envie de retourner à la maison. Si j'ai acheté ces deux cassettes. c'est à cause de l'aubaine, pas à cause de mon frère.

— C'est pas ça que j'ai voulu dire. J'te demandais ça comme ça, pour savoir... Moi non plus j'veux pas retourner chez moi, j'aime trop ma nouvelle liberté.

On n'a rien ajouté. J'ai allumé une ciga- rette et il m'a demandé de lui en allumer une aussi. C'est fou c'que ça peut être relaxant une cigarette dans ce temps-là, même si c'est ignoble pour les poumons. À force de rouler, on a fini par trouver cette foutue banque. Elle n'était pas bien loin, à vingt mètres de l'église. Il y avait tellement de tulipes rouges plantées devant qu'on ne pouvait pas la manquer. J'avais un peu peur que ça soit fermé ou qu'il y ait une file d'attente interminable devant les guichets. Il y avait un p'tit vieux à qui il a fallu au moins quinze minutes avant de retirer 40 $. Ah! Les vieux et la nouvelle technologie. De toute façon, j'imagine qu'à cet âge-là je ne serai sûrement pas plus vite sur mes patins et que de voir trois boutons ça va m'énerver à mort.

Finalement, on s'est retrouvés dans la voiture. Il était 14 heures 30, on ne savait vraiment plus quoi faire. On n'avait pas faim, on ne voulait pas dormir, *anyway* il n'y avait pas de motel dans les alentours. Nous étions riches mais désœuvrés! Carlos a décidé de téléphoner à une fille qu'il connaissait dans les environs, alors on s'est mis à la recherche d'une cabine téléphonique. On l'a finalement trouvée, puis il a cherché le numéro. Elle s'appellait Marie-France Gilbert, je crois. Il a composé le numéro et il a laissé sonner. Il n'y avait pas de réponse. Il a laissé tomber. Je lui ai proposé d'aller faire un tour près d'un parc, mais il n'a pas voulu. C'était un parc d'enfants avec des balançoires et des glissoires. C'était pas vraiment sécuritaire, surtout près d'une route comme celle-là. Il y avait des petites filles qui jouaient à la marelle, puis un garçon qui s'amusait dans la glissoire. «À cet âge là, ils n'ont pas de

problèmes», aurait dit Suzie si elle avait été
là.

Nous sommes repartis vers «je-sais-pas-
où», puis je me suis endormie dans la
voiture. Lorsque je me suis réveillée, il
faisait déjà nuit. J'étais toute perdue! La
voiture était garée devant une espèce de
resto-bar routier. Je me demandais si je
devais entrer ou rester dans la voiture à
attendre Carlos. J'ai décidé d'entrer. Le
type à l'entrée m'a demandé une pièce
d'identité pour vérifier mon âge. Je lui ai
dit que je voulais seulement manger. Il m'a
laissé entrer, puis il m'a crié: «C'est
seulement parce que tu es une belle petite
blonde!» Abruti!

Je me suis dirigée vers les toilettes, pour
me faire une beauté comme on dit. Il y
avait trois brunes qui se mettaient du rouge
à lèvres devant la glace. Elles devaient être
Américaines, parce qu'elles parlaient
anglais et elles avaient l'air snob. Elle m'ont
regardée comme si j'étais Crocodile
Dundee, puis elles ont continué à glousser
en se mettant du fard à joues. J'ai foutu le
camp avant de régurgiter et, une fois
sortie, je me suis dirigée vers ma table et
puis j'ai attendu qu'on vienne me porter le
menu. Alors une grande rousse est arrivée.

Elle a pris ma commande en souriant. Je regardais autour et j'essayais d'apercevoir Carlos, mais je ne le voyais pas. Je me suis dit qu'il devait être de l'autre côté du restaurant, dans la section discothèque. Ou il avait peut-être loué une chambre. Il était peut-être même avec une stupide Américaine. J'me suis dit non parce qu'il était seulement 20 heures 30 et que les Américaines étaient trop snobs pour lui. Mon club sandwich est arrivé et je l'ai gobé en cinq minutes, j'avais vraiment faim.

Ça commençait à swinger pas mal du côté de la discothèque. Je me suis dit que Carlos y était sûrement. J'ai payé mon club et j'ai traversé le resto en douce pour me rendre à la salle de danse. Il y avait pas mal de monde, et c'était relativement grand pour un endroit de ce genre, c'était au moins aussi grand que le *Libellule*, sinon plus. Mais la musique était moins forte, parce que c'était un orchestre qui jouait. Je me suis assise près du bar pour pouvoir commander au barman. Il m'a servi mon *rhum and coke* sans poser de question. Je lui ai laissé deux dollars de pourboire pour ça. Je suis revenue à ma table et je me suis allumé une cigarette. Ça aussi ça vieillit, mais c'est plutôt parce que j'étais nerveuse que je fumais. Tout à coup, un type s'est approché de moi. Il m'a demandé s'il pouvait s'asseoir. J'ai dit : «Oui, pas de gêne.» Il devait avoir dans les vingt-cinq ans, environ. Il avait une moustache. Il était assez beau. Pas plus que ça... En tout cas, il n'était pas laid.

— Tu es toute seule?

— Pour l'instant, ouais, à peu près seule.

Il n'a pas vraiment compris, je crois. Je commençais à me demander où pouvait bien être Carlos. Il (le type) a commencé à me dire que j'étais vraiment jolie et qu'il ne comprenait pas ce que je faisais toute seule dans un endroit pareil... bla, bla, bla! J'ai dit que j'étais en voyage, que mes parents dormaient déjà dans une chambre d'hôtel et qu'ils m'avaient donné la permission de descendre.

— Quel âge as-tu?

— Dix-sept et demi.

Il n'avait pas l'air de me croire. Je m'en foutais. Il avait l'air un peu louche quand j'y repense. Il voulait me séduire, je suppose. Je savais pas quoi dire, alors je répondais à ses questions idiotes.

— Qu'est-ce que tu fais dans la vie? D'où tu viens?

Je me suis allumé une cigarette et il a fait de même.

Puis il a ajouté :

— T'es un peu jeune pour fumer.

J'ai pas su quoi répondre.

— Peut-être que oui, peut-être que non. En tout cas l'âge légal c'est seize ans.

— Puis l'âge légal pour boire, c'est bien dix-huit ans ?

— Ouais. Évidemment.

— T'as seulement dix-sept ans et demi, alors t'as pas l'âge.

— J'sais mais je m'en fous...

— Comment tu t'appelles ?

— Tracy.

J'sais pas pourquoi j'ai pas dit Ève, je trouvais que Tracy, c'était plus sexy que Ève.

— Tracy ? C'est un nom magnifique.

Je l'aurais assommé. Il était vraiment inepte, cet homme. Mais il faisait de son mieux pour ne pas le laisser paraître, on aurait dit. J'avais des fourmis dans les jambes, alors on est allés danser. Lui, il se déhanchait littéralement. Il avait l'air essoufflé, mais il ne perdait pas le rythme... Incroyable. Il y avait pas mal de couples sur la piste. Tout à coup, j'ai aperçu Carlos. Il est venu vers moi et m'a tirée hors de la piste, il avait l'air de vouloir me parler.

— Tu t'es pas trop inquiétée?

— Non, pourquoi?

— Pour savoir. J'ai loué une chambre, la 52...

— Bon d'accord. J'peux retourner danser?

— Ouais. J'ai pas d'objection.

Je suis revenue sur la piste. L'abruti était encore là. Je me suis approchée et il a demandé:

— C'est ton frère?

— Ouais, si on veut.

Carlos est venu nous rejoindre sur la piste. Il avait presque l'air jaloux de l'abruti qui, lui, continuait à se déhancher. Le disc-jockey, pour faire son *mart,* a mis *If You don't know me by now,* de Simply Red, un slow presque cochon.

Carlos a dit à l'abruti:

— Vous m'excusez.

Puis il m'a pris dans ses bras pour danser. J'étais un peu mal à l'aise, surtout pour le type, mais il s'est vite trouvé une autre partenaire lorsqu'il a compris que Carlos n'était pas mon frère. J'aurais dansé collée sur lui comme ça pendant des heures. C'était vraiment bien. Il est très discret et respectueux. Il n'a pas essayé de me peloter ou de me papouiller, non rien. Il ne m'a pas embrassée non plus. Y'avait un couple à côté de nous, on aurait dit qu'ils allaient s'avaler complètement l'un et l'autre, c'était incroyable. Deux exhibitionnistes. Je ne sais pas si le type essayait d'exciter la fille ou quoi, mais il avait vraiment l'air obsédé. C'était presque pornographique, leur affaire. Mais ce n'était pas tout le monde qui dansait. Y'avait des types seuls à leur table qui avaient l'air de se sentir vraiment seuls. Parfois, y'en avait un ou deux qui se trouvaient une partenaire. Ces types-là sont trop timides pour inviter les filles ou ils ont peur que les filles les envoient se faire foutre. Moi, je ferais jamais ça à un type. Je trouve ça irrespectueux.

L'orchestre est revenu sur le *stage*. J'ai dit à Carlos :

— On va s'asseoir, O.K. ?

On s'est retrouvés à sa table en moins de deux. Elle était située complètement de l'autre côté du bar, près des machines à boules. J'ai joué deux parties. Je déteste ces foutues machines. La boule passe toujours entre les deux machins. Ça me coûterait une fortune si je voulais terminer une partie. Carlos est meilleur que moi, évidemment... J'ai commandé un *Cherry Daisy* au waiter. Lui, il a demandé une *Bud*, comme d'habitude. Il a dit :

— Comment ça va?

— Très bien, vous?

— Très bien, merci?

— Et es-tu fatiguée? Veux-tu aller te coucher tout de suite?

— Non. Je suis bien comme ça. J'ai assez dormi pour aujourd'hui.

Je mentais, j'étais crevée.

— Quand j'ai vu que tu dormais, je n'ai pas voulu te réveiller. J'ai arrêté ici pour manger et j'ai loué la chambre.

— J'ai mangé moi aussi, tantôt. Il est encore tôt on ira se coucher à minuit.

Il avait changé. En fait, c'était son attitude qui avait changé. Il était plus ouvert, on aurait dit. C'était peut-être une illusion, ou parce qu'il commençait à se sentir seul. Je ne sais pas. On se regardait, on fumait, on buvait et finalement on est retournés danser. La piste était pleine à craquer. Les gens avaient vingt-deux ans en moyenne, peut-être plus. Mais nous deux, avec nos seize et dix-sept ans, on la faisait baisser, cette moyenne. Quoiqu'il y eût une fille qui ne devait avoir pas plus de quatorze ans, elle avait l'air vraiment jeune. Elle avait une mise en plis, plein de fard aux joues et des talons hauts, alors elle paraissait à peu près dix-huit. J'me suis demandé ce qu'elle faisait là toute selule à une heure pareille. Elle était peut-être en fugue, elle aussi. Ou c'était peut-être bien une pute. Mais ça m'aurait surpris, car elle n'était pas habillée en pute.

Finalement, on a terminé nos verres et on est allés se coucher.

J'étais encore tellement fatiguée que je crois que mille heures de sommeil ne m'auraient pas reposée. J'étais déprimée. J'ai pensé que je n'avais pas de seins, qu'aucun type ne m'aimerait jamais et je me suis endormie.

Dimanche 30 mai

Après m'être levée, je me suis regardée dans le miroir, j'avais les yeux cernés et mes cheveux étaient tout ébouriffés. Carlos dormait encore... Je l'ai regardé dormir. Il marmonnait quelque chose d'incompréhensible, alors je me suis approchée de lui pour mieux entendre. Je me suis étendue et j'ai décidé d'attendre qu'il se réveille. Il continuait à marmonner et j'ai cru entendre mon nom. Puis il a dit «Ève» clairement. Mais je ne comprenais pas la moitié de ce qu'il disait. Puis, tout à coup il s'est tourné vers de moi, m'a accroché le bras et il s'est mis à le tirer vers lui. Il dormait toujours. Il m'a prise dans ses bras et il m'a serrée très fort... Ensuite, il m'a relâchée et il m'a tourné le dos. Je me suis relevée et je suis allée dans la salle de bains. J'avais faim. Je me suis lavée en vitesse et je me suis habillée. Je suis allée au resto du motel. C'était désert, en tout cas si on comparait à la veille. Y'avait deux ou trois voitures, pas plus. J'ai commandé deux cafés pour emporter et deux brioches. Je suis revenue à la chambre. Carlos dormait toujours. Un vrai loir ! J'ai bu mon café et bouffé les deux brioches. (J'avais trop faim.) Et puis ensuite j'ai bu l'autre café parce qu'il était déjà presque froid de toute façon et parce que j'ai horreur du gaspillage. J'ai allumé la télévision. Sur une chaîne il y avait un programme religieux et, sur l'autre chaîne, il y avait un journal télévisé (en anglais). J'ai opté pour le programme religieux. (Il devait bien y avoir des films olé ! olé ! en circuit fermé, mais je n'avais pas vraiment la tête à ce genre de spectacle.) Un prêtre parlait de Dieu et de ses miséricordes. Ensuite, une petite bonne femme s'est mise à raconter comment elle avait été sauvée du péché par Jésus. Elle disait que «la joie qu'elle ressentait depuis qu'elle avait découvert Dieu était indescriptible, incomparable par rapport aux vulgaires petits plaisirs égoïstes et matériels qu'elle avait connus avant». Elle avait l'air illuminée. Ça m'a donné très faim d'entendre ça, je ne sais pas pourquoi...

Finalement, je suis retournée acheter deux autres brioches avec deux autres cafés. Lorsque je suis revenue, Carlos était à demi-réveillé. Il a finalement bu un café, alors ça l'a réveillé complètement! Il a dit:

— Tu te réveilles toujours avant moi, hein?

— Ben oui. Bonne observation de ta part!

— T'es toujours aussi matinale ou bien tu te couches pas assez tard le soir?

— J'ai un réveille-matin dans l'estomac, que veux-tu!

— C'est vrai que tu bouffes tout le temps, toi.

— Pas tout le temps, souvent, mais pas tout le temps.

— Souvent, tout le temps, tu bouffes pareil.

Comme tout le monde le sait, et comme ma grand-mère me disait tout le temps: «Il faut toujours avoir le dernier mot, Ève, toujours.» Il faut rajouter quelque chose, même si c'est une idiotie, pourvu qu'on ait le dernier mot. Alors j'ai dit:

— À défaut de se défouler dans autre chose, on se défoule dans la boustifaille, hein?

C'était idiot, mais j'avais eu le dernier mot.

Je voyais qu'il ne voulait pas s'aventurer sur ce terrain-là, car il n'a pas répliqué. J'étais fière de moi.

J'ai changé de sujet.

— Pourquoi on irait pas au zoo aujourd'hui ?

— Si tu veux, j'ai pas d'objection.

— Bon alors on y va. On déjeunera en route.

Carlos a pris sa douche et il s'est habillé pendant que j'allais chercher un dépliant à la réception. Le zoo était à moins de cinquante kilomètres du motel où on était. J'ai rejoint Carlos dans la voiture et je lui ai demandé :

— Est-ce que je peux te poser une question ?

— Vas-y.

— As-tu déjà aimé une fille qui, elle, ne voulait rien savoir de toi, enfin qui ne t'aimait pas ?

— Ouais. Ça m'est arrivé une ou deux fois. C'était des «snobs», des «filles à papa». Pourquoi ?

— Pour savoir.

— Tu trippes sur un type qui t'aime pas ou quoi ?

— Non, pas en ce moment. Moi aussi ça m'est arrivé et je voulais savoir si ça arrivait seulement aux filles des trucs comme ça.

— Comme tu peux voir, ça arrive autant aux gars qu'aux filles d'être rejetés...

— Ouais, mais vous autres les gars, c'est moins pire.

— C'est pas moins pire, c'est juste que ça paraît moins. On se risque pas facilement, pas tant qu'on est pas sûr de notre coup.

Je me suis mise à penser que j'avais déjà voulu être un gars quand j'étais plus jeune. Mais, en vieillissant, je me suis rendu compte que, si j'avais été un garçon, j'aurais été obligée de marier une fille. Ça ne me plaisait pas comme idée. Je déteste les filles en général. Je ne sais pas pourquoi, c'est leur attitude. ça passe son temps à se parler dans le dos les unes des autres, ça compétitionne. J'aime pas ça, c'est malsain. Y'a pas plus traître qu'une fille ou qu'une femme. Mais ça dépend des personnes. Les femmes sont assez fortes en général, plus fortes que les hommes. Mais les femmes sont facilement insupportables. Plus que les hommes. Les femmes sont plus mesquines aussi. Ah oui ! En tout cas, si j'avais été un homme, j'aurais été homosexuel! Probablement. Malgré le sida et tous ces trucs-là. Les mecs les plus trippants sont souvent homos. C'est vrai. Les plus beaux, en tout cas. Mais pas toujours. Puis il y a des homosexuels qui ne s'assument pas. S'ils pouvaient faire des bébés entre eux, ça serait bien. C'est pas vraiment juste que seulement les hétérosexuels puissent faire des enfants. Si deux types ou deux filles s'aiment, ils devraient pouvoir enfanter comme n'importe quel couple hétérosexuel. Je suis sûre que la plupart des gens ne seraient pas de mon avis. Carlos peut-être pas non plus.

Plusieurs gars détestent les homos, ils les détestent vraiment je veux dire, mais on dirait que c'est parce qu'ils ont peur d'être eux-mêmes homosexuels. Peut-être pas non plus, remarquez. Moi, ça ne me ferait pas peur, être lesbienne. Ça me surprendrait que je le sois. J'ai jamais aimé une fille d'amour, en tout cas pas de la même façon que j'aime habituellement les gars. Non. Puis, comme je disais, je n'aime pas assez les filles pour être lesbienne. Carlos est probablement pas homosexuel, lui. Non, ça me surprendrait. Il est super viril, je trouve. Suzie ne m'a jamais parlé de ce qu'ils faisaient ensemble, mais ça doit être assez sexuel, mais pas trop, parce que Suzie est trop sainte-nitouche pour vouloir faire l'amour avec lui. Mais ça je vous l'avais déjà dit. Il ne doit pas être si obsédé que ça, parce qu'il m'aurait fait des avances depuis le temps. C'est pas les occasions qui manquaient. Il aurait même pu me violer s'il avait voulu. Il me trouve peut-être pas du tout attirante non plus, je sais pas. Moi je pense que je pourrais faire l'amour, non, coucher avec lui, mais ce serait trop facile. Y'a pas que le sexe dans la vie. Puis les gars ne sont pas tous des obsédés non plus, c'est faux ça. Il y en a qui sont très respectueux. Pas beaucoup, mais il y en a...

De toute façon plus j'y pense et plus je me dis que les mecs sont impossibles. Peut-être pas tous, mais la plupart. C'est difficile de les séduire, difficile de les avoir et ensuite difficile de les garder. On dirait toujours qu'ils sont plus indépendants que nous. Ils ont l'air au-dessus de leur affaire. Je crois que je déteste les hommes, mais comme la haine est plus près de l'amour que l'indifférence peut l'être, je crois que je les aime au fond de moi-même. Mais à

110

force de me répéter que je les déteste, ça me fait l'effet d'un lavage de cerveau et je vais finir par vraiment les haïr. J'ai dit que je détestais les femmes et les hommes aussi. Je suis probablement moi-même très détestable et c'est prétentieux de dire qu'on déteste tout le monde!

En pensant à tous ces trucs, j'ai arrêté d'observer le paysage. En deux temps, trois mouvements, on était déjà rendus au zoo. Ou plutôt, au «jardin zoologique». En gentleman, Carlos a payé mon entrée et la sienne. ça devait faire six ans que je n'étais pas allée visiter les lions et les singes. Il n'y a rien de plus dépaysant. Il y avait des enfants partout, ils avaient tous l'air ébahi par le spectacle des singes qui se grattaient le nombril. Moi, je trouvais ça idiot. Un singe, c'est vraiment horrible. Je déteste cet animal. Il y avait des flamants roses, des tigres et des otaries. De l'autre côté, il y avait des faons (quand j'étais petite, j'appelais ça des «Bambi») et des ours polaires. Il y avait aussi, évidemment, des éléphants. C'est presque tout. On a mangé du maïs soufflé rose et des arachides. On en a donné aux «Bambis».

Carlos trippait ben fort sur les lions et les tigres. Il me racontait des histoires à propos de types qui s'étaient fait bouffer par des fauves. Ça me passionnait d'entendre ça ! Des histoires morbides. J'aime mieux les chats et les chiens. Les gros chats, c'est trop dangereux. C'est quand même fascinant de voir tous ces animaux.

À deux heures, on avait déjà fait quatre fois le tour du zoo. On en avait jusque-là. Il n'avait même pas déjeuné, moi j'avais bouffé les quatre brioches à moi toute seule. On a roulé jusqu'à ce qu'on trouve un resto décent. En débarquant de la voiture, «oh malheur», je me suis foulé une cheville. Ça faisait horriblement mal. Carlos m'a aidée à me rendre à l'intérieur. On aurait dit qu'il était content d'avoir enfin une occasion de prouver qu'il était le mâle, et moi, la femelle... Macho ! *Anyway*, il m'a demandé si je voulais aller à l'hôpital, ou quelque chose du genre. J'ai supplié : «Non !» Ça ne me faisait presque plus mal, de toute façon. J'aurais bien pu me rendre à l'intérieur sans son aide. J'ai demandé qu'on m'apporte un club au saumon et un coca-cola. J'avais très faim, alors j'ai tout gobé en cinq minutes. Contrairement à moi, Carlos mangeait très lentement, mastiquait tous ses aliments et tout. Ça doit être excellent pour la digestion !

Les gars engraissent moins facilement que les filles, on dirait. De toute façon, moi je me trouve pas du tout grosse. Je m'en fous d'être mince ou grosse. (C'est sûrement parce que je suis mince que je dis ça !) Suzie est toujours au régime, elle. Elle fait plein d'activités idiotes pour garder la ligne. Ça ne donne rien, parce qu'elle n'est pas grosse du tout, en fait. Elle perd seulement de l'eau. Elle se vantait l'autre jour d'avoir perdu cinq livres, alors que ça ne se voyait pas du tout. Voilà une autre attitude que je déteste chez certaines filles. Elles ne pensent qu'à leur poids. Les hommes y pensent aussi, mais moins qu'elles. Puis eux, c'est pour éviter les troubles cardiaques, pas par souci d'esthétique. N'empêche que parfois j'trouve ça dommage, l'obésité. J'ai déjà connu un gars très intelligent, très intéressant, mais il était obèse. Dans ces cas-là, on dirait qu'ils sont résignés. Ce type-là ne regardait jamais une fille en se disant : «Ça serait une fille parfaite pour moi.» Il ne flirtait jamais. Il n'osait pas. Il savait qu'il ne pouvait pas espérer sortir avec elle. Horreur ! C'est déprimant d'y penser. Ouais... Mais ils ne finissent pas toujours seuls. Parfois y'a des filles sensibles qui se rendent compte de leur valeur intellectuelle. Heureusement !

Pendant que je pensais à tous ces trucs, Carlos continuait de manger. Il avait presque terminé lorsqu'un type s'est amené à notre table. Lui et Carlos se connaissaient ! Ils se sont serré la main (les hommes se serrent la main alors que les femmes s'embrassent, c'est toujours comme ça...) et ont ouvert la conversation par la phrase classique : «Qu'est-ce que tu fous là ?» Le type était châtain avec des mèches blondes, comme Renaud ! (le chanteur). Il s'est mis à lui raconter qu'il habitait pas loin d'où on était, qu'il était redevenu célibataire depuis la dernière fois où ils s'étaient vus; qu'il avait un emploi stable et était sobre.

J'me demandais comment ça se faisait que Carlos connaissait un type pareil ! Ils étaient habillés assez différemment : le type portait un chandail *Harley Davidson*, des *jeans* serrés et un manteau de cuir clouté. Il était chaussé de bottes de cow-boy... C'était chouette comme costume, ça lui donnait un air sympathique et rigolo. Un qui n'a pas l'air vraiment sympa, c'est

114

Carlos. Il a l'air sauvage, mais dans le fond il ne l'est pas. Bref, Carlos nous a présentés. Le type s'appelait David. Dave, pour les intimes. Ouah ! En tout cas, le gars m'a souri et tout. Vraiment sympa ! Mais il devait se demander ce que je foutais avec Carlos. Finalement il nous a invités à le suivre jusque chez lui. J'y allais à contrecœur, mais j'avais pas vraiment le choix, alors j'ai suivi. Ça devait être à dix kilomètres de là environ. Il vivait dans une maison mobile. Il avait l'air plutôt bohème, j'aurais dû me douter qu'il vivait dans une drôle de piaule.

C'était assez bien à l'intérieur, il nous a fait visiter et nous a invités à nous asseoir. On a jasé pendant près d'une heure, de tout et de rien. Carlos parlait beaucoup, beaucoup plus que lorsqu'il est avec moi ou Suzie. Il avait toujours quelque chose à ajouter, je ne l'avais jamais vu comme ça. On s'est mis à parler de poules, car Dave comptait s'acheter une ferme d'ici deux ans, le temps de ramasser le fric. J'ai dit que j'adorerais ça travailler dans une ferme. Il a répondu qu'il m'engagerait sûrement, mais c'était seulement pour me faire plaisir. Je m'en foutais, j'faisais comme si j'y croyais...

Dave était pas vraiment instruit, il avait seulement une dixième année. Mais n'empêche qu'il était plutôt débrouillard et pas mal intéressant. Il avait de la conversation (plus que Carlos...). Il n'était pas vraiment cultivé, mais ça ne le rendait pas idiot ou ignorant pour autant. (Ça, j'ai pu le découvrir seulement après avoir causé longuement avec lui.) Il était toujours en train de me raconter plein de trucs incroyables. Il démontrait une certaine sensibilité, en tout cas il n'était pas aussi indifférent que Carlos. Par exemple, il nous a raconté que la veille il était allé bouffer dans un fast-food avec un de ses copains. Ils étaient assis dehors lorsque Dave a aperçu un clochard qui fouillait dans les poubelles. Savez-vous ce qu'il a fait ? Il est entré à l'intérieur du resto pour aller lui acheter deux Big Burgers ! ! Son copain lui a dit «T'es fou ! Il peut aussi bien te voler ton argent; on sait jamais avec ces types-là...» Il s'en est foutu ! Il paraît que le clochard était super-content ! Il n'a pas arrêté de lui serrer la main en le remerciant. C'est toutes sortes de trucs comme celui-là qui font que je le trouve vraiment de mon goût. Mais il est trop vieux pour moi. Il a vingt-quatre ans !

Il n'a pas de petite amie, mais il parle à plusieurs filles lorsqu'il sort, les fins de semaine. Il dit qu'il est bien en étant célibataire et tout, mais moi je crois qu'il n'est pas si bien qu'il le dit. Il habite avec son frère, alors il peut pas avoir toute l'intimité nécessaire s'il décide d'inviter quelqu'un chez-lui.

On a décidé d'aller manger en ville avec Dave et son frère. On a choisi un restaurant italien. C'qu'ils ont bouffé, c'est incroyable! Une pizza extra-large à eux deux!

Ensuite, on est allés se promener en ville. Carlos avait l'air de bonne humeur, en tout cas plus que d'habitude. Dave arrêtait pas de parler, et moi j'écoutais. Il disait:

— Regardez les belles poupounes. Moi j'admire seulement, je touche pas. Les filles, ça vous attire des problèmes en moins de deux...

Les deux autres avaient l'air d'approuver. J'les ai regardés en voulant dire «Faut pas toutes nous mettre dans le même panier». Alors son frère a souri. Il a dit:

— Faut pas que tu croies tout ce qu'il dit, tu sais, y'a 99% de ce qu'il raconte qui est faux.

Là, Dave a rouspété :

— Menteur toi-même !

La chicane était presque pognée... J'me sentais coupable !

On est entrés dans un bar, *Le Belvédère*. Il devait être neuf heures et demie environ. Le portier m'a accrochée : «As-tu une pièce d'identité s'il te plaît ?» J'aurais hurlé ! Mais Dave est intervenu. Heureusement ! Il a regardé le type et lui a fait signe. Il lui a glissé un billet, je crois. Le type m'a souhaité une bonne soirée ! Ouah. J'étais sauvée. J'ai remercié Dave en l'embrassant sur la joue. Il est devenu tout rouge. Bon Dieu ! J'en revenais pas. Carlos a pas eu l'air de se rendre compte. Il était bien trop occupé à reluquer les filles autour. Il s'en balançait bien que j'embrasse son copain !

Je me suis assise à côté de Dave. Il a demandé une bière, moi un *screwdriver*. J'ai décidé de m'allumer une cigarette. Il a fait la même chose : singe ! Il y avait plein de monde autour de nous : tous des *rockers* ! J'me sentais pas vraiment à ma place et puis on étouffait. J'avais l'impression que tout le monde voyait que j'avais pas l'âge. Les gens me regardaient peut-être pour d'autres raisons, parce que j'étais un nouveau visage ou parce que j'étais pas habillée en *rockeuse*, j'sais pas...

Je me suis élancée vers la piste de danse. C'était la Madonna qui jouait (encore !). Elle disait *Express Yourself*, alors j'ai suivi son conseil et je me suis mise à danser comme une défoncée. Lorsque je le veux, je peux être vraiment terrible sur une piste de danse. J'ai juste à faire bouger mes épaules et mes genoux dans le sens contraire, et je vous jure que ça impressionne des tas de mecs !

Justement y'en avait un autre qui me regardait tout le temps, il se foutait même derrière moi pour mieux m'observer. Obsédé ! Il devait avoir au moins quinze ans de plus que moi. Horreur ! Beaucoup trop vieux !

Je suis retournée m'asseoir. J'étais épuisée. Puis me sentir observée comme ça, je déteste ça. Le type avait l'air déçu. Bof, pas tant que ça. Si c'est pas une, c'est l'autre ! Carlos est venu me rejoindre à la table. Moi, j'observais Dave danser. Il dansait affreusement mal ! Il n'avait pas le sens du rythme. De toute façon, ça ne changeait pas grand-chose dans le décor. Tout le monde danse à sa manière dans les clubs. Signe d'individualisme ...

Carlos regardait autour de lui comme s'il cherchait quelqu'un. Il a demandé son éternelle Bud et il a rapproché sa chaise de la mienne. Au début, je le pensais un peu soûl, mais il ne l'était pas, en fait. Il avait peut-être quelque chose d'important à me dire ou quelqu'un à me présenter ? C'est ça qui me tue avec lui, on ne sait jamais ce qu'il a derrière la tête ou sur le cœur. Je regarde dans ses yeux, et je ne vois rien. C'est le vide total.

Il a commencé la conversation en me demandant comment je trouvais l'endroit.

— Pas mal. C'est du pareil au même dans tous les bars, de toute façon.

— Non, pas nécessairement.

— Ça dépend des fois, des gens avec qui on est, de toute façon.

Ouah, elle était pleine de sous-entendus, celle-là !

Tout à coup, j'ai décidé que j'en avais assez. Assez des lumières, assez de la fumée, assez de tous ces visages inconnus et qui me décortiquaient comme si j'avais commis un meurtre. J'ai dit à Carlos : «On s'en va», et je suis partie. Il a suivi, tout penaud, comme un chien de poche. J'ai même pas salué Dave. De toute façon, il était branché sur une Asiatique buveuse de vodka, il avait d'autres chats à fouetter.

On s'est rendus à la voiture en quatrième vitesse. Il était déjà relativement tard. Il a demandé où j'avais l'intention d'aller. Je n'en avais aucune idée. J'ai répondu : «Encore au motel.» Il avait pas le choix de me suivre.

Nous nous sommes donc rendus au Holiday Inn de l'endroit. Ouah ! C'était grand et beau comme dans un film d'Hollywood ! (en tout cas en comparaison avec ce qu'on avait vu jusqu'à aujourd'hui). On a pris l'ascenseur jusqu'au huitième. Je déteste les ascenseurs. On peut même pas y fumer une cigarette pour se calmer, surtout lorsqu'on pense à ce qui nous attend dans la chambre d'hôtel. Je suis certaine que, si j'étais une prostituée, je ne pourrais pas supporter ça : la montée en ascenseur avec un client.

Le corridor était assez obscur et silencieux. On dirait toujours que ces hôtels de bourgeois-là sont vides. La chambre était spacieuse, impersonnelle aussi. Les murs étaient roses tout comme la moquette et les couvre-lits. Il y avait deux lits, une commode blanche, deux chaises et une table en bois, une T.V sur pied. La salle de bains était conventionnelle. Bref une belle chambre d'hôtel.

Je me suis étendue sur le lit en m'allumant une cigarette. J'ai demandé à Carlos de m'apporter un calendrier. J'ai demandé : «Où est-ce qu'on va, qu'est-ce qu'on fait ?» Il a répondu : «On écoute les mouches voler.» J'ai trouvé ça drôle. J'étais tellement fatiguée que je me suis mise à rire. J'ai pris un magazine qui traînait sur la table de chevet : c'était le *Elle* français. Je me suis mise à le feuilleter. J'ai commencé à lire un article sur l'Islande. Là-bas, le taux de mortalité infantile est à zéro; le cancer de l'utérus ne sévit plus et la longévité est de 75 ans pour les hommes et de 80 ans pour les femmes. Ouah ! C'est même une femme qui mène le pays. J'ai envie d'aller y vivre dès que j'aurai dix-huit ans. Pour l'instant, j'ai seulement seize ans, alors...

Carlos étais assis sur une chaise, le coude sur la table, le menton sur le poing, et il me regardait. Il s'ennuyait. Il était déjà minuit, mais on était pas vraiment fatigués, ni l'un ni l'autre. J'ai demandé s'il voulait se coucher tout de suite. Il a dit : «Non.» J'ai pensé que peut-être il voulait retourner voir Dave. Mais moi ça me tentait vraiment pas d'y retourner ni de ressortir. J'ai demandé : «On s'en retourne ?» Il a dit : «Pourquoi ?»

— Je sais pas. Il reste plus grand-chose à faire maintenant. Je suis tannée de refaire les mêmes choses, de redire les mêmes affaires. Puis, de toute façon, on a pas vraiment le choix, on n'a presque plus d'argent.

— Ouais, j'sais, mais j'ai pas le goût de retourner là-bas.

— Faudra bien y retourner un jour ou l'autre.

— On va tout de même pas retourner chez nous tout de suite, comme ça ? Il est minuit passé.

— On part demain de bonne heure.

Ça a conclu notre discussion. On s'est couchés sans dire un mot. Il s'est relevé cinq minutes plus tard pour prendre un bain. Je n'ai pas fermé l'œil avant trois heures du matin. C'est fou ce qu'on dort mal dans ces hôtels chics.

Lundi 31 mai

On s'est réveillés, vers onze heures. Fallait se dépêcher, car on devait remettre la clé à midi.

Après avoir mangé, on s'est rendus à la voiture. Heureusement, j'avais pris l'initiative de m'acheter trois paquets de cigarettes. J'en ai grillé environ six en une heure (des cigarettes, pas des paquets !). Tout au long du retour, j'avais peur. J'aurais voulu être n'importe qui sauf moi. J'avais un peu honte de ce que j'avais fait mais je ne regrettais rien. C'est un peu méchant pour mes vieux de leur avoir fait un tel coup, surtout qu'ils n'ont jamais été vraiment chiches avec moi. J'veux dire que j'étais pas du genre enfant battue ou sous-alimentée, abusée, ou délaissée. Non. Sauf qu'ils sont jamais là lorsque j'ai besoin d'eux. (Que j'aie besoin d'eux ou non, ils sont jamais là, de toute façon...)

Au moins quand j'étais avec Carlos, je n'étais pas seule, j'avais quelqu'un à qui parler, presque un frère. Je savais qu'en revenant à la maison, je retrouverais cette solitude, celle qui me suit partout et qui m'avale. Elle pénètre à l'intérieur de moi, elle m'envahit et, le pire, c'est que je finis presque par m'y habituer. Toujours seule. On finit jamais par s'y habituer, au fond. J'essaie d'oublier, de mettre le focus sur autre chose, mais ça revient toujours. Je crois que c'est inné en moi. Je suis faite comme ça et je resterai comme ça jusqu'à ma mort. Née pour être seule. *Born to be alone.* Ça serait un titre de chanson intéressant, ça!

On a roulé tout l'après-midi. On s'est arrêtés vers dix-huit heures pour se reposer. Ensuite, on a roulé jusqu'à dix heures. On s'est loué une chambre de motel. C'était peut-être notre dernière nuit ensemble ?...

Quand j'y pense, la déprime s'empare de moi. J'aimerais mieux me tirer une balle dans la gorge plutôt que d'y retourner à la polyvalente. Tout va recommencer. Comme avant. Suzie la dominatrice. (Si elle me parle encore...) La triple idiote d'Odile Gendron. Le beau Jimmy. (Je suppose qu'il s'est fiancé!) Je vais étouffer.

Ça a duré seulement six jours. Même pas une semaine.

J'ai tout de même hâte de voir comment les autres vont réagir. Personne ne sera même pas au courant, je suppose. Peut-être que oui. Bah, on verra. J'm'en fous ! *Life is hard. You can't buy happiness no matter what you do.* (Ça c'est tiré d'une chanson de j'sais plus qui...) C'est vrai que la vie est dure. Très dure, même. Incroyablement dure, parfois. Mais faut pas s'en faire avec ça, hein ? «On prendra les événements comme ils viendront», dit Carlos. Puis moi, j'voudrais avoir dix-huit ans pour me sauver en Islande. Là bas au moins, on a la paix totale. C'est ce qu'ils disent. Je pourrais y faire un petit métier comme serveuse ou postière. Ça serait la vraie vie. Mieux qu'ici, en tout cas...

Mardi 1er juin

Il s'est passé dix millions de choses que j'ai pas eu le temps d'écrire. On a roulé toute la journée d'hier et une partie de la nuit. On est arrivés ce matin, très tôt. Carlos et moi avions faim, alors nous avons décidé d'arrêter prendre un café-croissant au resto du coin. J'étais hyper-nerveuse. Carlos aussi. Premier contact après six jours d'exil! Vers huit heures, on est sortis du resto.

Je savais pas si je devais retourner chez moi où à l'école d'abord. Je savais que maman serait à la maison, et Suzie à l'école. Dans la gueule de quel loup me jeter d'abord?

Carlos, lui, avait l'air au-dessus de ses affaires. Il a décidé d'aller rendre visite à ses chums. Moi, j'ai décidé de me rendre au parc, à deux rues de chez moi. Carlos est venu m'y conduire en me souhaitant bonne chance. J'en avais pas tellement besoin, de chance. De la compréhension aurait suffi.

Il me semblait que je les entendais déjà : «Qu'est-ce qui t'as pris pour l'amour du Bon Dieu ?», «Es-tu tombée sur la tête ou quoi ?», «On s'est tellement inquiétés; si tu avais un gramme de bon sens, tu le saurais !», «C'est ce Carlos qui t'a mis toutes ces idées dans la tête ?», «Il va falloir faire quelque chose.», «On ne sait plus quoi faire pour te satisfaire, Ève !», «On t'a tout donné ce que tu voulais, il ne te manque rien. On se demande pour quelle raison tu as bien pu nous faire une chose pareille !» Bla, bla, bla. Ça me rend malade rien que d'y penser...

Je me suis balancée pendant au moins une demi-heure. Il y avait quelques enfants très jeunes, au parc. Les autres étaient à l'école, je suppose. Je me suis finalement décidée à marcher vers la maison. J'aurais voulu que ma mère ne soit pas là. J'aurais pu me cacher dans ma chambre et attendre le moment propice pour apparaître. Je suis passée devant la maison des Labrie. Toujours aussi soignée : l'herbe coupée au centimètre près, les fleurs de toutes les couleurs devant la véranda, les auvents bleu ciel. Ouah ! Super-chic...

Finalement, je suis arrivée chez moi. Rien n'avait changé. Même pierres grises, même gros érable argenté près du garage, même tulipes rouges sous les fenêtres. J'ai contourné la clôture pour aller derrière la maison. Je suis entrée pas la porte de derrière. La cuisine était silencieuse.

Elle était là, assise devant sa tasse de café. Elle s'est tournée la tête et m'a aperçue. Elle avair l'air consternée. (Sûrement mes cheveux platine...) Elle a ouvert la bouche, mais aucun son n'en sortait. J'ai dit : «Allô maman !» (Idiote !) Je ne savais vraiment pas quoi dire. Elle a   crié: «*Ève, ma Ève !*» et elle s'est jetée sur moi. Elle pleurait ! C'était la première fois que je la voyais pleurer. (Sauf lorsque tante Gilberte est morte.) J'étais vraiment, mais vraiment mal à l'aise. Je ne savais pas quoi faire . la consoler ? Pleurer moi aussi ? Finalement, elle m'a regardée de la tête aux pieds et m'a demandé si j'allais bien. «Bien sûr que oui...» Nous nous sommes assises et nous avons parlé pendant une heure environ. Elle voulait que je lui raconte tout ce qui s'était passé Elle croyait que j'avais été kidnappée ou je-sais-pas-quoi, mais dès quelle a trouvé mon message, elle a compris. Je croyais qu'elle serait fâchée ou même furieuse. Eh ! bien non... Elle avait l'air plutôt inquiète pour moi. Comme si

j'avais eu le cancer ou une grave pneu-
monie. J'avais rien ! Mais elle est tout de
même ma mère, elle a le droit de s'inquié-
ter, en fait. J'avais le goût de lui dire que
certains chercheurs avaient découvert que
l'instinct maternel n'existe peut-être même
pas. Bah, ça l'aurait fait pleurer encore une
fois ! Je lui ai demandé si je pouvais
monter dans ma chambre. J'ai pris une
pomme, je l'ai embrassée sur la joue et je
suis montée.

Rien n'avait changé là non plus. Pourtant, ça faisait seulement une semaine que
j'étais partie. Mon gros poster de Madonna
était toujours là. C'est un super poster.
Mais les parents ne voulaient pas que je le
mette dans un endroit où tout le monde
l'aurait vu, alors je l'ai mis derrière la porte
de ma chambre. Madonna est habillée un
peu hippie, d'une main elle tient une
cigarette (comme si c'était un joint !) et de
l'autre elle se prend l'entre-jambes. (C'est
pour cela qu'ils ne veulent pas que je le
mette dans un endroit «voyant».) Sexe,
drogue et rock'n'roll sur une même image.
Ouah !

Je me suis assise à mon petit bureau
ultra-moderne que je n'utilise jamais et j'ai
ouvert les tiroirs. Tout était en ordre !

Quelqu'un avait sûrement fait le ménage, ça se voyait. Probablement ma mère. Heureusement qu'il n'y avait rien de compromettant là-dedans ! (condoms, cigarettes ou alcool...) Il y avait seulement les lettres que j'avais reçues de mon correspondant égyptien. Il m'écrivait qu'il m'aimait. Il me connaissait même pas l'idiot ! Bof, à force de me lire, il a dû en apprendre sur moi, je suppose... Il y avait aussi un paquet de lames de rasoir. Ça c'est pour découper les images dans les magazines, ça va mieux qu'avec des ciseaux. J'ai regardé à la fenêtre et j'ai aperçu le chien des Lambert. Ce qu'il est laid ! En Islande, il n'y a pas de chiens, rien à craindre. J'ai ouvert ma garde-robe. La première chose que j'ai aperçue, c'est mon manteau de suède avec des franges. Il est toujours aussi trippant ! Suzie et les autres ne l'ont jamais aimé. Elles le trouvaient trop flyé. Moi, j'm'en fous, c'est le plus beau manteau que j'ai. Je le porte jamais pourtant. Je l'ai mis une fois et je me sentais, comment dire, observée... J'ai de la difficulté à supporter ça. J'aime mieux passer inaperçue. C'est pour ça que le manteau d'indien reste au fond de la garde-robe !

Je suis redescendue en bas pour écouter la télévision. Ma mère était en train de faire des appels. Elle voulait que je parle à grand-mère. Je ne voulais pas. J'avais pas envie de l'entendre pleurer elle aussi. J'ai prétexté : «Je veux lui parler en personne.» Mais la mère tenait son bout, alors j'ai dû céder. J'ai pris le combiné et je lui ai dit : «Bonjour grand-mère !» Elle m'a demandé comment j'allais. Je lui ai répondu que j'allais bien. Elle m'a demandé si je retournais à l'école puis toutes sortes de trucs comme ça. J'ai fini par l'interrompre en lui disant que je devais aller rencontrer le directeur de l'école. Elle m'a souhaité bonne chance et elle a raccroché.

J'avais pas vraiment le goût mais on s'est quand même rendus à l'école. J'avais un peu peur de rencontrer Suzie et Carlos, mais je me disais qu'il fallait bien que je les affronte de toute façon. Le directeur n'était pas là, il était en réunion. Ma mère a demandé à la secrétaire de contacter les profs et elle a accepté. Elle a même proposé que je rencontre la psychologue. Ouah ! Ça me tentait pas du tout de déballer mes problèmes devant cette bonne femme ! Mais y'avait rien à faire, elle était vraiment décidée pour une fois ! J'ai accepté le rendez-vous. Rendue à la voiture, je commençais déjà à le regretter, mais j'm'en foutais un peu. Je voulais pas la décevoir après toutes ses inquiétudes. J'me suis dit que j'aurais seulement à écouter ce que la psy aurait à dire, puis à me sauver. Mais elle me poserait probablement dix millions de questions.

Mais il y avait une chose que j'avais hâte de voir : leurs réactions... (le monde de l'école, bien sûr). Seraient-ils choqués, amusés, jaloux, ou impressionnés ? Surtout Suzie... Mais j'avais pas trop hâte de revoir les profs. Et les examens de maths. Je déteste les maths ! Y'a qu'en français que j'suis bonne. Le calcul, l'algèbre et ces trucs-là, j'y comprends rien. Les paraboles, ça me donne le goût de vomir ! Juste d'y penser ça me donne un mauvais goût dans la bouche.

La soirée a été vraiment, mais vraiment très longue. Le paternel est revenu du travail expressément pour me voir. Le soir, après le souper, on a eu un *meeting* général. Papa, maman et Ève. Et le chien Hugo. Ils sont remontés jusqu'à leur rencontre dans un stand de patates frites (qui les a menés au mariage), jusqu'à ma fugue, en passant par mes premiers pas, mon premier suçon. Tout ça pour me prouver qu'ils «m'aiment dans le fond et que leur manque de disponibilité à mon égard ne découle que de leurs occupations (trop nombreuses pour les énumérer) et du milieu très exigeant dans lequel ils évoluent».

J'en ai rien à foutre.

Mercredi 2 juin

Hier, Marilyn Monroe aurait eu soixante-trois ans. Elle est morte onze ans avant ma naissance et je la connais comme si elle était ma sœur.

J'y suis retournée. Ce matin, en me réveillant, j'avais un affreux mal de ventre. Sûrement la nervosité. J'ai avalé deux rôties et j'ai bu trois cafés. Je m'étais réveillée à six heures. Ce qui fait que j'étais affreusement fatiguée.

Quand je suis arrivée à l'école, Suzie avait un visage de glace. Les autres aussi. J'ai essayé de sourire ou de dire quelque chose, mais rien ne sortait. J'ai réussi à sortir un «Sors-tu encore avec Carlos ? » (Idiote…) et elle a répondu (vivement) «Oui !» Elle s'est retournée, a envoyé ses épaules vers l'arrière, a relevé le menton et elle est partie, suivie de deux imbéciles (dont Odile !). J'en revenais pas ! J'étais bouche bée. Puis j'avais tellement de difficultés à réaliser ce qui se passait que je restais là, sans bouger, comme une oie stupide ! J'aurais dû me douter qu'elle m'en voudrait à mort. Le mieux qui pouvait m'arriver, c'était de me faire écraser par un dix tonnes ! M'enfin...

Je me suis promenée dans l'école, le cœur au bord des lèvres. Quel charmant accueil ! Qu'elle aille donc se faire foutre, elle et cette nouille d'Odile Gendron ! Débiles profondes, franchement... *Anyway.*

J'ai revu Carlos. Il m'a fait un sourire timide. Si je m'étais pas retenue, je me serais jetée sur lui juste pour la rendre malade ! Je la déteste. Quand je pense que j'ai été sa meilleure amie pendant si longtemps ! Elle pouvait compter sur moi et elle en profitait, mais moi je ne pouvais pas en faire autant. Ouais. Avec des amies comme ça, pas besoin d'ennemies !

Pendant les cours, les autres élèves me regardaient tous avec des yeux ronds. J'voulais qu'ils me fichent la paix ! La grosse Annick est venue me demander où j'étais partie durant tout ce temps. Je lui ai dit : «À la plume ; j'étais partie à la plume !» Je riais... mais pas elle. Elle était frustrée. Une de plus.

Suzie et les autres ne m'ont pas adressé la parole de la journée. En chimie, Odile est maintenant assise avec elle, évidemment ! Je suis une révoltée de la vie. Pis, quand je pense que je me suis retenue tout ce temps pour ne pas toucher à son Carlos. J'aurais dû coucher avec lui ! En masse... Elle aurait eu une bonne raison de constiper. Il s'est rien passé. Elle en parle à tout le monde sauf à moi. Elle se plaint, elle chiale, elle me maudit, elle crache sur mon nom devant tout le monde, mais elle a même pas le cran de venir me demander des explications. Ça me dépasse. On appelle ça l'immaturité, je suppose.

Vendredi soir, elle va probablement aller danser avec Odile. Elles vont trinquer à ma santé ! Et puis, je les emmerde...

Samedi 5 juin

J'ai trouvé une solution à mon problème, une solution sans violence ni douleur : UN CHUM ! Si je me faisais un chum, je n'aurais plus besoin d'elles à l'école, à la maison, au téléphone, au cinéma, dans les clubs, il serait là ! Et puis Carlos en prendrait un foutu coup ! Comme je commence à être lasse de caresser mon chien Hugo, ça ferait changement. Enfin, une chance d'essayer tous ces trucs érotiques qu'on voit dans les films, comme mettre ma langue dans son oreille ou lui sucer le bout des doigts. Ah ! ça doit être super. Puis là, Odile et Suzie verraient de quoi j'suis capable.

Aujourd'hui, j'ai tondu le gazon. Ils n'ont pas tardé à me mettre à profit. À part ça, je m'ennuie plutôt. J'aurais bien quelques problèmes de maths à faire, mais ça me tente vraiment pas de me creuser la tête. C'est tout de même incroyable comme je maîtrise l'art de perdre mon temps.

On dirait que j'ai plus le goût de faire fonctionner mes cellules grises.

Ce soir, je vais peut-être aller au cinéma, je sais pas. J'ai pas envie de tomber sur un film d'amour ou quelque chose du genre. Ça me déprimerait vraiment trop de voir ça.

Dimanche 6 juin

Ce matin j'ai écouté une émission sur les différentes cultures : passionnant. J'avais peur de tomber le nez dans mes céréales tellement c'était captivant.

Demain, je dois retourner dans cet enfer. Heureusement que l'année s'achève. J'pourrais pas l'endurer encore longtemps. Bah, qu'elle aille se faire foutre. Bon, j'devrais arrêter d'y penser, elle n'en vaut pas la peine.

Hier je suis allée me chercher un livre à la bibliothèque. C'est *Autant en emporte le vent*, avec Scarlett O'Hara, la fille aux yeux verts. C'est super intéressant, j'ai lu toute la soirée d'hier. Ça change des soirées enfumées.

Ce soir, «maman, papa et Ève» vont souper chez grand-maman. Soirée mémorable en perspective. Je vais apporter mon *walkman*. Il faut que ça passe vite sinon je me fais sauter la cervelle dans une poêle à frire.

Lundi 7 juin

Scarlett est vraiment horrible! Elle ne réfléchit pas avant de parler, elle dit ce qu'elle pense et elle fait ce qu'elle dit! Elle envoie chier presque tout le monde...sauf les hommes.

Elle aime Ashley, un fils de bonne famille qui est complètement différent d'elle. Il ne veut pas d'elle, car il sait qu'ils ne sont pas faits l'un pour l'autre. Ça la rend malade. Elle se rebelle à cause de ça, je suppose. Mais c'est la seule chose qui la rend attachante. Pour le reste, elle n'est qu'une arriviste, une profiteuse. Y'a un mec super macho qui lui tourne autour, il s'appelle Rhett. Il est beau, riche, intelligent, drôle, courageux, fort... Eh bien, croyez-le ou non, elle ne veut pas de lui. Il peut lire en elle comme dans un livre et c'est ça qu'elle ne peut pas supporter. Ils n'arrêtent pas de s'engueuler, c'est drôle! Pas de danger que j'en rencontre un comme ça. Non, ce genre de types, ça n'existe que dans les livres. Malgré que... *Anyway*,

j'aimerais beaucoup ressembler à Scarlett.
Quelle femme ! Elle ne s'en laisse pas con-
ter ! Au début du livre, elle a mon âge,
seize ans. Elle est têtue comme une mule.
Tous les mecs sont à ses pieds... sauf
Ashley. Bon assez parlé de Scarlett
O'Hara, parlons d'Ève Dupuis.

Mes cheveux recommencent à pousser.
Finie l'illusion de blondeur des derniers
jours ! Bonne affaire. J'commençais à en
avoir assez d'être un pastiche de Marilyn
Monroe des années 90. Puis, comme le dit
si bien ma mère : «Les cheveux, les yeux,
le teint, c'est un ensemble : faut rien
changer, c'est naturel.» Si elle le dit, c'est
que ça doit être vrai.

Parlons un peu de ma situation sociale,
même si j'ai pas vraiment envie d'y penser.
Commençons par dire que les potins, c'est
comme les microbes : ça se multiplie très
vite. La foutue Suzie a répandu une crous-
tillante rumeur à mon sujet : supposément
(que dis-je, sûrement !) que j'ai fait la
«chose» avec Carlos. Enfin, c'est ce que
tout le monde raconte. *Bonnie and Clyde*
version érotique... De la «fugueuse», je suis
devenue la «fille facile» ! Le pire c'est qu'il
n'y a rien de vrai là-dedans ! Il ne s'est
absolument rien passé entre Carlos et moi.

Rien de sexuel. Merde ! J'sens que j'vais exploser comme une pile dans un presto. Ça ne me surprend pas d'elle. Elle a plus d'imagination que Danielle Steele ! J'ai rien à dire, je fais pas le poids contre sa gang de vierges offensées. J'aurais beau clamer mon innocence, ça ne servirait à rien. Alors j'endure et je me tais. J'me demande bien si c'est Carlos qui est à l'origine du scoop ! Ça se pourrait bien. C'est un gars, après tout. Ils veulent épater la galerie. Pire que des coqs ! Il n'ose même plus me regarder dans les yeux. Puis tous ses copains me regardent quand je passe près d'eux. Ils rient dans leur barbe. J'm'en fous. J'ai pas couché avec lui, je le sais. Au diable les rumeurs ! S'il vous plaît, Dieu, aide-moi, si t'es là. Cloue-leur le bec, arrache-leur la langue, rends les muets, mais fait quelque chose... Merci.

Mardi 8 juin

Heureusement que l'école s'achève...

Ce matin, en allant aux toilettes, j'ai eu l'immense plaisir de lire sur le mur de la dernière cabine, un message qui m'était personnellement destiné :

«Ève Dupuis, c'est une pute.
Elle a couché avec Carlos.
Facile... on t'haïs !

Évidemment, c'était pas signé. Pas besoin d'être descendante directe de Sherlock Holmes pour découvrir d'où ça provient. Faut pas s'en faire pour si peu, n'est-ce pas ? J'méritais une médaille de l'ordre des stoïques du Québec ! Elles peuvent pas m'atteindre : c'est un vrai leitmotiv. À force de le répéter, ça va bien me rentrer dans le crâne, du moins je l'espère. C'est comme les foutues formules de géométrie. Presque...

Un seul point positif; mon nom est désormais célèbre à la polyvalente. Quand on parle d'Ève Dupuis, on ne parle pas de n'importe qui ! Ça ressemble presqu'à un slogan. Je devrais m'en aller en *marketing*. Comme disait mon grand-père : «Mieux vaut faire parler de soi en mal que de ne jamais faire la manchette.» Merci, grand-papa ! Toutes ces pensées me remontent le moral par ces temps on ne peut plus ardus.

Mercredi 9 juin

Rien ne va plus... Mes notes sont catastrophiques parce que je suis trop préoccupée par les rumeurs qui circulent à mon sujet. Je n'étudie presque plus. En plus, j'apporte mon *walkman* dans tous mes cours et ça tue les profs. Ils me lancent des avertissements mais j'm'en fous... Mon prof de chimie m'a accrochée par une oreille avant que je me tire de son dernier et passionnant cours sur les ions. Il m'a répété la même rengaine que d'habitude, presque un classique : «Un prof, c'est aussi un ami. (ha ! ha !) Tu peux te confier à moi si tu as des problèmes, Ève. Je sais que tu traverses une période difficile, mais tu peux me faire confiance, tout ce que tu diras restera entre nous deux.» Et le directeur, la psychologue, tes parents et le commissaire ! Pour qui il se prend ? «Ça fait du bien de se confier à un ami, parfois...» Ouais, sauf que des amis, j'en n'ai plus, puis il se trouve que j'en veux pas d'autres non plus. Ouais ! J'serais jamais assez désespérée pour aller me confier à un prof. J'aimerais mieux raconter mes problèmes à Suzie et à Odile ! Et puis, j'ai mon journal, c'est pas pour le trip, mais ça défoule. En attendant, je lui ai promis que je ferais un effort pour améliorer mes résultats académiques, surtout en chimie, parce que «j'rêve de devenir prof de chimie comme vous...» Ha ! Ha ! Il en dormira plus pendant deux jours ! J'sais que j'suis pas trop gentille ces temps-ci, mais moi j'trouve qu'on sème ce qu'on récolte, et pas le contraire.

Jeudi 10 juin

Enfin, la semaine est presque terminée. J'aurai au moins la paix pour deux jours. Ma cousine Guylaine vient me rendre visite samedi. J'espère que je ne serai pas trop de mauvaise humeur avec elle. C'est quand même pas de sa faute, tout ce qui m'arrive. J'crois que j'lui raconterai rien parce qu'elle va tomber sur le dos! Elle attend sa réponse pour entrer en médecine. Ses parents capotent. J'espère qu'ils influenceront pas les miens parce qu'ils vont frapper un nœud. J'ai pas du tout l'intention d'étudier cinq heures par jour comme elle. Franchement, quand je nous compare, j'trouve que je suis qu'un gros tas de problèmes pour mes peps. C'est peut-être leur faute : ils n'auraient pas du suivre la méthode du docteur Spock. Ça ne m'a pas trop réussi! Bon, je crois que je vais aller me coucher. Dormir, c'est encore la meilleure thérapie.

Samedi 12 juin

Misère. Ça fait deux jours que Poussy (mon chat) n'est pas venu manger. Bizarre. Ça me tracasse vraiment. Où peut-il bien être ? Si Suzie a mis la main dessus, je la tue.

Je lis la romance de Scarlett et de Rhett en attendant que ma cousine arrive. Je regarde à la fenêtre à toutes les dix minutes au cas où Poussy se montrerait le bout du nez. S'il est mort, je crève aussi. Je vis pour ce chat (et pour Hugo, mon chien). Il sont tout ce qu'il me reste, à présent. (Sniff ! sniff !) Peut-être qu'on l'a enlevé, qui sait ? Il est tellement adorable. Plus que n'importe qui que je connaisse, même Carlos. Surtout lorsqu'il fait sa toilette : lentement, minutieusement... J'passerais des heures à l'observer. Il me tue. Ce qui me peine le plus, c'est de penser qu'il souffre peut-être en silence, loin d'ici, la patte prise dans un piège. Les chats se cachent pour mourir, le saviez-vous ? Les larmes me montent aux yeux

149

juste d'y penser. Et Suzie qui me croit insensible ! Pauvre Poussy ! Bon ! Ma cousine arrive....

Dimanche 13 juin

Mes espoirs fondent comme neige au soleil. Mon chat n'est pas encore revenu de sa fugue. S'il suit mon exemple, donc il reviendra. Je l'espère...

Il est midi. Ma cousine vient de partir avec ses parents. On a passé une très belle journée, hier. Puis une soirée assez excitante. Ça me faisait tout drôle de me retrouver avec une fille de mon âge (ou presque) n'ayant pas de préjugés à mon égard. J'avais presque oublié ce que c'était, l'amitié ! Je sais pas si c'est elle qui déteint sur moi, mais je me sens pas mal moins révoltée, ce matin.

Elle est arrivée hier vers deux heures de l'après-midi. On a jasé de tout et de rien. Ma tante me regardait d'une façon bizarre lorsque je suis allée l'embrasser (baiser de politesse). J'pense que c'est à cause de ma repousse qui me donne un style *hot*. J'lui ai dit que ça allait finir par s'arranger (mes cheveux).

Ma mère m'a donné de l'argent pour que j'aille me faire teindre en châtain. Elle voulait impressionner sa sœur, je suppose. *Anyway*, ma cousine m'a accompagnée chez la coiffeuse puis on a parlé pendant qu'elle me tripotait. En une demi-heure, j'étais redevenue moi-même. On est allées prendre un café pour se changer les idées, puis j'ai commencé à lui parler de ma fugue et de mes problèmes de réputation. C'était assez difficile parce que j'avais constamment peur de sa réaction, alors j'hésitais avant de parler. Elle écoute très bien, elle va sûrement faire un excellent médecin. C'est rare de nos jours, les gens qui savent très bien écouter. Ça l'a super impressionnée que je lui raconte tout ça. Elle me pensait «petite fille modèle» et tout... Elle ne m'a pas jugée. Elle m'a dit qu'elle trouvait ça con que tout le monde se mêle de ce qui s'est soi-disant passé entre Carlos et moi : «Pis même si c'était vrai, baiser, ça se fait à deux, alors je vois pas pourquoi tu serais la pute et lui un ange. Il est coupable autant que toi, si ça se trouve. T'as pas à te faire écœurer avec ça. Qu'ils te laissent donc vivre... ou bien qu'ils écœurent Carlos autant que toi !» Mets-en ! Pourquoi c'est toujours la fille qui

152

écope ? Les gars, eux autres, c'est normal, qu'ils couchent ? Sexistes ! La vierge ou la putain. Tu peux jamais t'en sauver. Ça m'écœure...

Ça m'a fait du bien au bout de me confier. Le prof de chimie avait raison, finalement... Le soir, on est allées au nouveau bar, *Le Graffiti*. C'est *cool* au max, y'a pas encore de *doorman*, donc pas de stress ! Odile et Suzie étaient là. Ma cousine les a trouvées idiotes parce qu'elles n'arrêtaient pas de nous regarder de travers. À un moment donné, elle s'est levée et est allée les voir ! Mon cœur battait la chamade, j'avais vraiment la trouille pour elle, alors je suis allée la rejoindre. Elle a attrapé Suzie par le bras et lui a demandé si elle avait un problème. Là Odile lui a ordonné de la lâcher, mais je l'ai prise par le collet je je lui ai dit de se mêler de ses affaires. Suzie à rétorqué :

— Toi aussi, tant qu'à y être. T'as besoin de ta cousine pour te défendre astheure, Dupuis ?

J'ai répondu :

— Toi, tu peux ben parler ! T'as toujours Odile collée aux fesses. Pis arrête donc de m'écœurer. T'es même pas *game* de me demander ce qui s'est réellement passé entre Carlos et moi. T'aimes bien mieux te cacher entre Odile pis sa gang de langues sales, hein?

— Ben j'aime mieux être une langue sale qu'une salope comme toi, Ève Dupuis! a répondu Odile.

Là, Odile était allée trop loin. Ma cousine lui a balancé une claque en pleine face. Suzie a répliqué en lui versant son verre de bière sur sa fabuleuse mise en plis. Pauvre Guylaine! Ça pique les yeux, de la bière! Là, j'ai attrapé la manche de ma cousine et je l'ai tiré jusqu'aux toilettes. J'avais vraiment pas envie de me battre avec elles, surtout pas en public. J'étais tellement abasourdie par tout ce que je venais de voir que j'ai seulement agi par réflexe: quitter les lieux de l'altercation et éponger Guylaine, c'est tout ce qui m'importait à ce moment là. En cinq minutes, j'ai réussi à lui refaire une beauté. Tout le monde nous regardait d'une drôle de façon, mais je m'en foutais.

Quand nous sommes repassées près de la table de Suzie et Odile, elles n'étaient plus là. Une chance! Elles se sentaient sûrement trop humiliées pour rester, puisque Suzie est tellement orgueilleuse. Guylaine et moi, on se balançait pas mal d'avoir pris une petite douche froide. On voulait avoir du plaisir, *that's it*. Puis j'commence à avoir l'habitude des regards indiscrets.

Vers onze heures, on avait déjà bu pas mal et on riait pour rien, quand un beau gars est venu me parler. Wow ! C'était la cerise sur le sundae. Six pieds un, 185 livres. Un beau bonhomme... Il a commencé par me dire qu'il me trouvait jolie et que j'avais l'air d'avoir du caractère. Il m'a eue tout de suite, mais je me méfiais. «Tout à coup que c'est un gars qui veut juste vérifier si les rumeurs sont fondées à mon sujet ?» que je me suis dit. Bof ! J'voulais pas paniquer trop vite non plus. Il m'a demandé s'il pouvait s'asseoir et il a commené à me poser des questions et à me parler de plein de trucs que j'ai pas trop envie de rapporter en détails ici. On a parlé pendant une bonne demi-heure. Il étudie en sciences de la santé, au cégep. J'essayais d'avoir l'air intéressante et interessée, C'est pas facile, surtout quand tu te trouves moche. *Anyway*, ma cousine s'ennuyait, alors elle est partie faire un tour, puis elle a ramené un mec qui ressemblait à Monsieur Net : musclé et chauve, joueur de football, 6' 3 pouces. Il s'appelle Fred. Vraiment pas mon genre. Vers une heure, mon mec à moi (!) m'a dit qu'il fallait qu'il parte, car il joue au soccer et ils ont toujours des couvre-feux. Une intellectuelle est un sportif ensemble, qui l'eût cru? Il m'a demandé de le suivre chez lui, mais j'ai pas voulu. Je sais pas pourquoi. Yannick (c'est son nom) est donc parti tout seul. Il n'était pas fâché, enfin j'crois pas. Il m'a embrassée avant de partir. Il embrasse bien. J'me demande bien si je suis une bonne embrasseuse, moi... Bonne question.

Ma cousine était en grande conversation avec son Hercule. Elle a fini par me suivre vers deux heures. On a eu pas mal de plaisir, même si il n'est rien passé de physique entre nous et ces deux sportifs-là. Ma cousine trouvait le sien pas mal crétin. C'est dur pour elle de pogner des mecs à son niveau : j'sais que ça paraît prétentieux, mais c'est vrai. Elle est trop brillante : un futur médecin avec un footballeur! Mais faut pas trop juger non plus : il y a sûrement des sportifs intelligents sur la terre. Sûrement... mais où?

Faut pas que j'pense à Yannick. Il veut sûrement rien savoir. Qu'est-ce qu'il pourrait bien me trouver? Ah! Déprime.

156

Lundi 14 juin

Cette nuit, j'ai fait un rêve horrible. Je me faisais poignarder dans le dos par un fou meurtrier! Faudrait que je regarde dans mon guide d'interprétation des rêves pour voir ce que ça signifie! C'est pas trop positif, j'gage!

Finalement, je suis allée voir la psychologue. Franchement, elle n'a rien vu en moi! Tout ce qu'elle me rabattait, c'était: «Trouve ton équilibre, écoute-toi un peu plus!» J'comprenais rien de ce qu'elle voulait me dire. Elle a rien compris, elle non plus. J'lui ai dit que j'me sentais ben ben mélangée. Elle me répondait: «Essaie de voir plus clair en toi. Tu traverses seulement une période difficile. Tu te cherches encore. Tu vas te trouver!» Ouais! C'était pas ce que je voulais entendre! Pas du tout. On aurait dit qu'entre nous deux, ça passait pas. Le courant était bloqué. Ben raide. Inutile de vous dire que ça ne m'a pas beaucoup avancée dans mon cheminement personnel. J'm'arrangerai toute seule à l'avenir. Puis, de toute façon, comment voulez-vous qu'elle me comprenne, alors que j'ai moi-même de la difficulté à me comprendre ? C'est logique comme constatation, n'est-ce pas ?

Le mec que ma cousine a rencontré il n'y a pas 48 heures m'a appelée. Il voulait son numéro de téléphone. Il m'a même demandé de l'appeler pour savoir si elle voulait bien qu'il lui téléphone. Têteux... Elle dit qu'elle veut rien savoir de lui. Il est trop gentil, qu'elle dit. Ouais. Pourquoi les gentils nous laissent indifférentes, alors que les salauds nous fascinent ? Moi, c'est toujours comme ça. Ça me tue. J'comprends pas des fois. Faut quasiment qu'un mec me botte le derrière pour que j'aie l'estime pour lui. Non, pas de l'estime; plutôt de l'attirance. Ces types crétins et prétentieux qui n'arrêtent pas de se vanter, j'les avalerais tout rond tellement j'les trouve appétissants, alors que les gars simples, modestes, sincères, je les rejette. Faut croire que les salauds mettent plus de piquant dans nos vies! Ça me fatigue juste d'y penser. Tous ces types, j'sais jamais quoi en faire. J'sais jamais non plus ce qu'ils pensent de moi. Prenez Yannick : est-ce que je l'intéresse ou non ? Allez savoir !

Il ne me le dira pas tout de suite. J'en ai
assez de jouer aux devinettes. Bon Dieu,
ça voudrait dire que j'en ai assez de
l'amour ? J'ai seulement seize ans, après
tout !

Mardi 15 juin

J'ai vu Odile et Suzie aujourd'hui. Elles ne m'ont pas regardée de la matinée, puis l'après-midi j'ai passé ma récréation à la bibli. Là, au moins, j'ai la paix. Ça me surprend qu'elles ne m'aient pas fait de coup bas ! Mais, comme on dit, *«Si vis pacem, para bellum»* («Si tu veux la paix, prépare la guerre»), alors je me tiens prête.

J'ai vu Carlos en passant au-dessus du fumoir. Il n'avait pas l'air trop en forme. J'me demande ce qu'il a. On ne se parle plus beaucoup depuis notre fugue. J'ai pas trop envie de l'appeler, de peur qu'il dise à Suzie que j'lui cours après ! Il faudrait quand même pas que je devienne paranoïaque. Des fois, j'aimerais ça, l'appeler, mais je ne sais pas quoi lui dire ni comment débuter la conversation. Merde ! On était bien en maudit, quand j'y repense.

J'aimerais ça que Yan soit là vendredi prochain. J'vais veiller avec une rejetée qui suit le même cours de chimie que moi.

Tant qu'à rester seule toute la soirée, aussi bien y aller avec elle, même si elle s'habille en têteuse. Son nom, c'est Patricia. Original. Merde! j'suis vraiment pas aimable ces temps-ci. J'suis même détestable. J'profite d'elle, mais vu qu'elle est aussi rejet que moi, on se rend service mutuellement! Revenons à Yannick: s'il est là, vendredi, j'vais peut-être aller lui parler. Mais s'il y a vingt-cinq filles autour de lui, j'vais le snober...J'ai quand même mon orgueil à sauvegarder!

J'ai presque fini de lire *Autant en emporte le vent,* tome II. J'ai loué le film, hier soir. C'est super bon. Surtout quand Rhett et Scarlett se déchirent, vers la fin. À un moment donné, ils dansent ensemble et Rhett lui dit: «Si vous êtes courageuse, vous pouvez vous passer d'une bonne réputation.» Ça m'a remonté le moral d'entendre ça. Il a raison, sauf que mon courage n'est pas inépuisable. J'essaie de ne pas craquer, mais c'est dur pour l'orgueil. Dire que j'étais une fille «normale» et «respectable» il y a à peine un mois! Faut quand même pas trop s'en faire, dans une semaine, je n'ferai plus la manchette. Ils trouveront toujours un autre sujet sur lequel potiner...

161

Jeudi 17 juin

Une semaine banale s'achève. Il ne s'est absolument rien passé depuis lundi. Les cours sont finis, il me reste mes examens du Ministère à passer. J'm'ennuierai pas de la polyvalente cet été Heureusement que je ne reviens pas l'an prochain ! Finis, les cours plates, les faces hypocrites. Je m'en vais étudier en Ontario, pour apprendre l'anglais. Plus de Suzie dans les jambes !

Je lis souvent. J'ai hâte de voir si le livre se termine comme le film. (Rhett quitte Scarlett.) Elle qui croyait pouvoir le mener par le bout du nez jusqu'au bout. Il finit par se tanner d'elle et de ses petites crises de nerfs ! Pauvre Scarlett ! C'est pas de sa faute si elle est orgueilleuse et gâtée. Au moins elle a de la force de caractère, elle. Elle n'est pas comme Suzie et Cie. Pour une fois qu'un roman d'amour se termine pas de façon prévisible.

J'me demande si Yannick pense à moi, des fois. Crime, j'rêve même pas en couleurs, j'rêve en technicolor ! J'lis trop de romans d'amour. Il pense pas à moi. Les gars, ça pense pas, ça agit. J'devrais aller le voir jouer, demain soir. S'il me voit dans les estrades, il va me trouver nouille ! Pourquoi il se contenterait de moi alors qu'il peut toutes les avoir, des plus belles, plus sexy et plus joyeuses que moi. J'ferais mieux d'étudier ma chimie au lieu de penser à lui. J'ai de la discipline quand je veux. Quand je veux...

Samedi, 19 juin

Hier soir, c'était l'enfer ! Première-
ment, je retire tout ce que j'ai dit de
désobligeant sur Patricia, elle est terrible,
cette fille là ! Comme quoi il faut pas trop
juger selon les apparences.

On est arrivées vers onze heures. C'était
rempli à craquer. Plein de mineurs, pour
faire changement ! Suzie était là. J'm'en
foutais pas mal. J'ai vu Yannick, ils ont
gagné, alors ils n'avaient pas de couvre-
feux. Je crois qu'il est parti avec une autre
fille, mais je n'en suis pas certaine.
Anyway, ça ne me regarde pas. Bon,
passons.

On a dansé, bu, ri, enfin, comme
d'habitude sauf qu'il y avait de l'action,
pour une fois. Vers une heure du matin,
Carlos est venu me parler. Suzie était à
l'autre bout du club avec un roux bâti
comme une armoire à glace. Il m'a
demandé l'heure. J'espérais qu'il ne parte
pas tout de suite, même s'il avait l'air ben
écœuré. J'lui ai demandé où était Suzie,

même si je le savais très bien :

— Elle se fait cruiser.

— *So what*? Cruise-la toi aussi.

— J'veux plus rien savoir d'elle.

Silence.

J'ai répondu : «Ah...». J'savais plus trop quoi lui dire. J'voulais quand même pas soutenir la conversation.

— Puis elle?

— Suzie elle trippe ben raide sur moi.

— C'est peut-être la jalousie qui l'excite...

— J'm'en fous. C'est pas à elle que je pense ces temps-ci. C'est donc jamais ceux qu'on veut, qu'on a.

Il a baissé les yeux. J'savais pas trop où il voulait en venir...

— T'as ben raison.

— Toi, qui est-ce que tu veux?

— Ah, tu le connais pas, j'pense. C't'un joueur de soccer, une grosse vedette. J'le pognerai jamais.

— Ah, tu le sais pas. T'es pas laide, tsé...

— Bof, ça veut rien dire. Toi aussi, t'es beau bonhomme, puis t'as pas celle que tu voudrais. C'est qui, au juste?

— J'veux personne. J'disais ça comme ça.

— Ah ! (pour faire changement...)

On avait plus rien à dire quand j'ai eu la surprise de ma vie :

— Heille, Ève, Viens-tu faire un tour, il commence à faire chaud, ici.

J'savais pas si j'devais. Suzie était trop préoccupée par son frigi-box et Pat dansait avec un de ses soupirants. J'ai accepté.

On est sortis par l'arrière, parce que j'voulais pas que ça se sache. Il m'a offert un tour d'auto (celle de son frère, évidemment parce que son père ne lui prête plus la sienne depuis qu'on a fugué).

On est entrés dans le voiture puis, il m'a demandé où je voulais aller. J'lui ai demandé :

— Ça dépend où t'as l'intention de m'emmener.

— Loin.

— Pas aussi loin que l'autre fois, j'espère.

Il a ri. Là, j'nous sentais aussi complices qu'avant. Il a démarré et il a dit : «Pourquoi pas ?»

— Parce que mes parents vont faire une crise d'apoplexie...

— Les tiens, peut-être, mais les miens ils seraient bien que trop contents que je débarrasse le plancher.

— Voyons donc, c'est juste parce que t'es un gars qu'ils osent pas t'avouer qu'ils s'inquiètent pour toi.

— Non, ils s'en fichent, j'te dis. Pis on parle plus de ça. Heille, as-tu faim ?

— Non, mais on peut y aller quand même si t'as le goût de bouffer.

— Ah ! laisse-faire. Ça te tentes-tu d'aller au cimetière juste pour le fun ? J'sais que toi, t'es pas peureuse comme Suzie alors j'te le demande. Viens-tu ?

Ça m'a flattée dans le bon sens qu'il me dise ça !

— Okay si ça te l'dit : c'est *cool*.

Rendue dans le cimetière, j'étais pas trop sûre d'avoir eu raison. C'était vraiment lugubre ! J'avais la trouille, mais j'voulais pas que ça paraisse. Quand il a arrêté la voiture, j"ai verrouillé ma porte, juste au-cas-où. Il l'a remarqué :

— Ils sont tous morts, Ève ! C'est pas eux-autres qui vont te violer !

Là, je me suis mise à rire comme une malade. C'était à cause de la nervosité, je suppose. Il m'a dit :

— Mais moi j'pourrais, par exemple...

Il m'a regardé avec de grands yeux, puis il s'est approché de moi. Je l'ai laissé faire, j'sais plus pourquoi. Il s'est passé ce qui devait se passer. J'en devenais presque fidèle à ma fausse réputation. J'lai fait parce que j'en avais un peu envie et beaucoup besoin. Pis lui, il avait tellement l'air désabusé à cause de ses parents et tout... Ça lui fait du bien, un peu d'affection. J'pensais pas que ça pouvait être aussi apaisant que ça, même si c'était passablement douloureux. Un petit mal pour un grand bien.

J'me sens pas tellement différente, comme je l'espérais : j'me sens juste libérée. C'est un moment à passer pour tout le monde et ça c'est très bien passé dans mon cas. En plus, j'ai confiance en lui. *(So far, so good...)* Ça m'arrive pas souvent de me laisser aller comme ça. Ça fait partie du jeu. En tout cas, fallait que j'passe par là avec Carlos. C'est drôle que ça n'ait jamais débloqué avec lui, enfin durant notre fugue. Il n'a jamais essayé. On a eu j'sais plus combien d'occasions : c'était celle-là, la bonne.

Il m'a dit une chose ben drôle : «On perpétue notre race pendant qu'il y en a qui se décomposent en-dessous de nous !» Une chance qu'il portait un condom, parce que je l'aurais pas trouvé drôle.

Il est venu me reconduire vers quatre

heures. J'lui ai dit de pas faire de conneries et de ne pas s'en vanter à tout le monde.

— *Anyway*, tout le monde pense que c'est déjà fait, à cause de Suzie. J'en ai jamais parlé même à mes chums, même si j'en avais ben envie. J'suis pas une grande gueule. Y'a personne qui saura ça.

J'étais contente qu'il me dise ça :

— J'te fais confiance. J'm'en fous pas mal des potins. L'école est presque finie et puis j'décline en Ontario bientôt alors...

— Ha... En tout cas, ça reste entre nous. Bonne nuit ! C'était ben le fun...

— Ouais, à la prochaine.

J'aurais aimé que ça se termine autrement. Qu'il me dise qu'il m'aime, qu'il me demande de le rappeler, ou j'sais plus quoi. C'est con. Qu'est-ce qu'il pouvait dire de plus ? Et moi ? Quand on passe par là, c'est plus jamais pareil, après. C'est-ce que Patricia m'avait dit. Elle ne me juge pas, elle. Elle a jamais essayé de me faire la morale. De toute façon. avec toutes les aventures qu'elle a eues ! Elle sait de quoi je parle. «Ça serait le fun si on était toutes les deux enceintes ! J'appelerais ma fille Ève pis toi tu appelerais la tienne Patricia !» Mourir plutôt que de m'occuper d'une petite Patty Pat Dupuis. J'ai d'autres plans en tête. Mes peps m'ont fait la morale pendant une demi-heure, ce matin. «On te pensait repartie...» bla-bla bla. Il veulent plus que je sorte. L'été commence. Alors ils vont se les mettre où je pense, leurs recommandations. Surtout quand je serai en Ontario !

Bon, je vais au cinéma, avec Pat. J'aimerais dix fois mieux être dans les bras de Carlos, ce soir, mais j'aime mieux pas trop rêver.

Mardi 22 juin

Je pensais que je connaissais le déses-poir, mais j'en étais loin.

Le téléphone a sonné samedi soir vers sept heures. J'croyais que c'était Patou qui voulait me demander un *lift* pour aller au ciné. C'était vraiment pas ça. C'était le frère de Carlos. Il m'a appris quelque chose d'affreux : Carlos s'est suicidé dans la nuit de vendredi. Il s'est suicidé. Carlos s'est suicidé ! J'aurais beau l'écrire dix mille fois, j'y croirais pas encore. Merde ! Si j'arrête pas de pleurer, tout ce que j'écris va s'embrouiller. Maudite plume de feutre !

Ils l'ont trouvé samedi matin, dans le garage. Il s'est pendu. J'arrive pas à m'y faire. J'suis la dernière à l'avoir vu vivant. Merde ! Il m'a rien dit. Pas un indice. J'ai rien vu venir. Rien. Comment ça se fait que j'ai pas deviné ? Il avait l'air o.k., comme d'habitude. Un peu déprimé, mais c'est tout. Et dire que je me moquais des gens qui se culpabilisaient après le suicide d'un de leur proche. J'me sens coupable comme eux. Tout ça à travers les larmes et la révolte. Il aurait pu m'en parler. Merde! On se tue pas à dix-sept ans. Il allait être majeur. S'il s'est tué à cause de ses parents, il est fou. Il avait qu'à refoutre le camp. Pauvre con! C'est bien ça que tu voulais, nous rendre coupables, hein? J'comprends plus rien.

Son frère m'a dit qu'il a laissé une lettre. Ça me concerne un peu mais j'en ai pas su plus. C'était pas le moment de poser mille questions.

Patricia est venue dès qu'elle a su. Elle a eu un choc, elle aussi. Suzie et Odile sont venues hier. Elles pleuraient comme deux madeleines. Suzie m'a demandé pardon pour tout ce qui est arrivé. Comment refuser de lui pardonner dans un moment pareil! Ça paraît tellement dérisoire et insignifiant, toutes ces petites histoires. Odile a été très correcte elle aussi.

On a pris un bon café pour nour remonter le moral et on a parlé. De lui. De moi. De nous toutes. C'est dur. Faut pas trop y penser. On se sent toutes plus ou moins coupables, Suzie et moi en particulier.

Mes parents font de leur mieux pour me réconforter. Ils n'arrivent pas à y croire, eux non plus. Ils sont toujours après moi. On dirait qu'ils viennent de réaliser qu'ils auraient pu me perdre n'importe quand. Ils ont peut-être peur que je fasse pareil. J'suis trop optimiste pour ça.

Il a été enterré ce matin. Il n'y a pas eu d'exposition, même pas à tombeau fermé. J'comprends un peu ses parents : ils ne veulent pas subir les regards inquisiteurs qui laissent sous-entendre «vous êtes coupables». Moi je sais que personne ne l'a volontairement poussé là. J'essaie de m'en convaincre, en tout cas. Comment ils auraient pu savoir ?

On dirait que ça débute par la rage, puis ça devient de la tristesse. J'arrête pas d'y penser, d'y rêver. J'voudrais presque être en enceinte de lui ! ça m'obsède. On pense jamais que ça va arriver. J'étais à ses côtés, pendant la fugue, puis samedi. Paf ! J'donnerais tout pour revenir en arrière. Tout. J'ai plus le goût d'écrire même si ça me soulage.

Mercredi 23 juin

J'écris ici de mémoire ce que j'ai lu dans la lettre que Carlos a laissée. (Je l'ai lue vingt fois de suite, alors j'la connais par cœur.)

«Quand vous lirez ceci,
je ne serai plus là.
C'est pas de votre faute, j'espère que
vous le savez tous. Je m'excuse mais il
n'y a pas d'autre solution, enfin j'en vois
pas. Mom, Dad, cher frère, mes chums
(Pete, Jonathan, Marc, Yan et Suzie),
vous étiez tout pour moi. Ève aussi, qui
m'a fait passer de bons moments. Prenez
ce qui vous revient. Salut.»

Et c'est signé Carlos. Il dit même pas pourquoi. Merde! Il a tout de même pensé à moi. Son frère m'a dit qu'il m'aimait pas mal. Il est très choqué. Ses parents aussi. Ils arrivent pas à le digérer. J'les comprends.

Seul point positif dans tout ça, j'me suis réconciliée avec Odile et Suzie. C'est dans les épreuves qu'on apprend le plus.

Je pars pour l'Ontario la semaine prochaine. Patricia vient avec moi. On va garder des enfants dans le même quartier, à Toronto. J'suis heureuse de partir. J'en peut plus d'être ici. J'veux oublier. Enfin, pour un moment. Après on verra. C'était pas ma faute. Rien. J'y peux rien. J'ai une boule dans la gorge depuis que c'est arrivé. J'ai hâte qu'elle disparaisse.

Le journal que j'ai entre les mains, je le relirai pas avant longtemps. Juré. Ça me fait trop mal. J'm'en achèterai un autre, même si celui-là n'est pas terminé. C'est ça qui est bien, avec l'écriture : on peut se permettre de tout oublier parce qu'on sait que le jour où l'on voudra s'en souvenir, on aura qu'à fouiller dans un tiroir pour retrouver ce qu'on a vécu. Tout ça consigné dans un merveilleux petit journal qui conserve tout pour toujours.

Lithographié au Canada
sur les presses de
Metrolitho inc. – Sherbrooke